FRANK WEDEKIND

Frühlings Erwachen

EINE KINDERTRAGÖDIE

MIT EINEM NACHWORT
VON GEORG HENSEL

PHI

Als Druckvorlage diente die Ausgabe »Prosa, Dramen, Verse«, München: Albert Langen – Georg Müller, 2. Auflage 1960, der wiederum der Text der Gesamtausgabe in neun Bänden (17.–18. Tausend 1924) von Artur Kutscher und Joachim Friedenthal zugrunde gelegt wurde.

Universal-Bibliothek Nr. 7951
 Diese Ausgabe erscheint mit Genehmigung des Verlages Albert Langen Georg Müller, München. Alle Aufführungsrechte, auch Film-, Funk- und Fernsehrechte, nur durch Drei Masken Verlag GmbH, München. Satz: B. Baumgarten, Esslingen a. N. Druck und Bindung: Reclam, Ditzingen.
Printed in Germany 1987
ISBN 3-15-007951-9

PERSONEN*

Melchior Gabor
Herr Gabor, *sein Vater*
Frau Gabor, *seine Mutter*
Wendla Bergmann
Frau Bergmann, *ihre Mutter*
Ina Müller, *Wendlas Schwester*
Moritz Stiefel
Rentier Stiefel, *sein Vater*
Otto, Robert, Georg Zirschnitz, Ernst Röbel, Hänschen Rilow, Lämmermeier – *Gymnasiasten*
Martha Bessel, Thea – *Schülerinnen*
Ilse, *ein Modell*
Rektor Sonnenstich
Hungergurt, Knochenbruch, Affenschmalz – *Gymnasialprofessoren*
Knüppeldick, Zungenschlag, Fliegentod – *Gymnasialprofessoren*
Habebald, *Pedell*
Pastor Kahlbauch
Ziegenmelker, *Freund Rentier Stiefels*
Onkel Probst
Diethelm, Reinhold, Ruprecht, Helmuth, Gaston – *Zöglinge der Korrektionsanstalt*
Dr. Prokrustes
Ein Schlossermeister
Dr. von Brausepulver, *Medizinalrat*
Der vermummte Herr
Gymnasiasten, Winzer, Winzerinnen

* Ein Personenverzeichnis fehlt sowohl im Erstdruck als auch in den späteren Buchausgaben.

Dem vermummten Herrn

der Verfasser

(Geschrieben Herbst 1890 bis Ostern 1891)

ERSTER AKT

ERSTE SZENE

Wohnzimmer.

Wendla. Warum hast du mir das Kleid so lang gemacht,
5 Mutter?
Frau Bergmann. Du wirst vierzehn Jahr heute!
Wendla. Hätt' ich gewußt, daß du mir das Kleid so lang machen werdest, ich wäre lieber nicht vierzehn geworden.
Frau Bergmann. Das Kleid ist nicht zu lang, Wendla.
10 Was willst du denn! Kann ich dafür, daß mein Kind mit jedem Frühling wieder zwei Zoll größer ist? Du darfst doch als ausgewachsenes Mädchen nicht in Prinzeßkleidchen einhergehen.
Wendla. Jedenfalls steht mir mein Prinzeßkleidchen bes-
15 ser als diese Nachtschlumpe. – Laß mich's noch einmal tragen, Mutter! Nur noch den Sommer lang. Ob ich nun vierzehn zähle oder fünfzehn, dies Bußgewand wird mir immer noch recht sein. – Heben wir's auf bis zu meinem nächsten Geburtstag; jetzt würd' ich doch nur die Litze
20 heruntertreten.
Frau Bergmann. Ich weiß nicht, was ich sagen soll. Ich würde dich ja gerne so behalten, Kind, wie du gerade bist. Andere Mädchen sind stakig und plump in deinem Alter. Du bist das Gegenteil. – Wer weiß, wie du sein wirst,
25 wenn sich die andern entwickelt haben.
Wendla. Wer weiß – vielleicht werde ich *nicht* mehr sein.
Frau Bergmann. Kind, Kind, wie kommst du auf die Gedanken!
Wendla. Nicht, liebe Mutter; nicht traurig sein!
30 Frau Bergmann *(sie küssend)*. Mein einziges Herzblatt!
Wendla. Sie kommen mir so des Abends, wenn ich nicht einschlafe. Mir ist gar nicht traurig dabei, und ich weiß, daß ich dann um so besser schlafe. –
Ist es sündhaft, Mutter, über derlei zu sinnen?

Frau Bergmann. Geh denn und häng das Bußgewand in den Schrank! Zieh in Gottes Namen dein Prinzeßkleidchen wieder an! – Ich werde dir gelegentlich eine Handbreit Volants unten ansetzen.

Wendla *(das Kleid in den Schrank hängend).* Nein, da möcht' ich schon lieber gleich vollends zwanzig sein . . .!

Frau Bergmann. Wenn du nur nicht zu kalt hast! – Das Kleidchen war dir ja seinerzeit reichlich lang; aber . . .

Wendla. Jetzt, wo der Sommer kommt? – O Mutter, in den Kniekehlen bekommt man auch als Kind keine Diphtheritis! Wer wird so kleinmütig sein. In meinen Jahren friert man noch nicht – am wenigsten an die Beine. Wär's etwa besser, wenn ich zu heiß hätte, Mutter? – Dank es dem lieben Gott, wenn sich dein Herzblatt nicht eines Morgens die Ärmel wegstutzt und dir so zwischen Licht abends ohne Schuhe und Strümpfe entgegentritt! – Wenn ich mein Bußgewand trage, kleide ich mich darunter wie eine Elfenkönigin . . . Nicht schelten, Mütterchen! Es sieht's dann ja niemand mehr.

ZWEITE SZENE

Sonntag abend.

Melchior. Das ist mir zu langweilig. Ich mache nicht mehr mit.

Otto. Dann können wir andern nur auch aufhören! – Hast du die Arbeiten, Melchior?

Melchior. Spielt ihr nur weiter!

Moritz. Wohin gehst du?

Melchior. Spazieren.

Georg. Es wird ja dunkel!

Robert. Hast du die Arbeiten schon?

Melchior. Warum soll ich denn nicht im Dunkeln spazierengehn?

Ernst. Zentralamerika! – Ludwig der Fünfzehnte! Sechzig Verse Homer! – Sieben Gleichungen!

Melchior. Verdammte Arbeiten!

Georg. Wenn nur wenigstens der lateinische Aufsatz nicht auf morgen wäre!

Moritz. An nichts kann man denken, ohne daß einem Arbeiten dazwischenkommen!
Otto. Ich gehe nach Hause.
Georg. Ich auch, Arbeiten machen.
Ernst. Ich auch, ich auch.
Robert. Gute Nacht, Melchior.
Melchior. Schlaft wohl!

(Alle entfernen sich bis auf Moritz und Melchior.)

Melchior. Möchte doch wissen, wozu wir eigentlich auf der Welt sind!
Moritz. Lieber wollt' ich ein Droschkengaul sein um der Schule willen! – Wozu gehen wir in die Schule? – Wir gehen in die Schule, damit man uns examinieren kann! – Und wozu examiniert man uns? – Damit wir durchfallen. – Sieben müssen ja durchfallen, schon weil das Klassenzimmer oben nur sechzig faßt. – Mir ist so eigentümlich seit Weihnachten ... hol mich der Teufel, wäre Papa nicht, heut noch schnürt' ich mein Bündel und ginge nach Altona!
Melchior. Reden wir von etwas anderem. –

(Sie gehen spazieren.)

Moritz. Siehst du die schwarze Katze dort mit dem emporgereckten Schweif?
Melchior. Glaubst du an Vorbedeutungen?
Moritz. Ich weiß nicht recht. – – Sie kam von drüben her. Es hat nichts zu sagen.
Melchior. Ich glaube, das ist eine Charybdis, in die jeder stürzt, der sich aus der Skylla religiösen Irrwahns emporgerungen. – – Laß uns hier unter der Buche Platz nehmen. Der Tauwind fegt über die Berge. Jetzt möchte ich droben im Wald eine junge Dryade sein, die sich die ganze lange Nacht in den höchsten Wipfeln wiegen und schaukeln läßt ...
Moritz. Knöpf dir die Weste auf, Melchior!
Melchior. Ha – wie das einem die Kleider bläht!
Moritz. Es wird weiß Gott so stockfinster, daß man die Hand nicht vor den Augen sieht. Wo bist du eigentlich? – – Glaubst du nicht auch, Melchior, daß das Schamgefühl im Menschen nur ein Produkt seiner Erziehung ist?
Melchior. Darüber habe ich erst vorgestern noch nachgedacht. Es scheint mir immerhin tief eingewurzelt in der

menschlichen Natur. Denke dir, du sollst dich vollständig entkleiden vor deinem besten Freund. Du wirst es nicht tun, wenn er es nicht zugleich auch tut. – Es ist eben auch mehr oder weniger Modesache.

Moritz. Ich habe mir schon gedacht, wenn ich Kinder habe, Knaben und Mädchen, so lasse ich sie von früh auf im nämlichen Gemach, wenn möglich auf ein und demselben Lager, zusammenschlafen, lasse ich sie morgens und abends beim An- und Auskleiden einander behilflich sein und in der heißen Jahreszeit, die Knaben sowohl wie die Mädchen, tagsüber nichts als eine kurze, mit einem Lederriemen gegürtete Tunika aus weißem Wollstoff tragen. – Mir ist, sie müßten, wenn sie so heranwachsen, später ruhiger sein, als wir es in der Regel sind.

Melchior. Das glaube ich entschieden, Moritz! – Die Frage ist nur, wenn die Mädchen Kinder bekommen, was dann?

Moritz. Wieso Kinder bekommen?

Melchior. Ich glaube in dieser Hinsicht nämlich an einen gewissen Instinkt. Ich glaube, wenn man einen Kater zum Beispiel mit einer Katze von Jugend auf zusammensperrt und beide von jedem Verkehr mit der Außenwelt fernhält, d. h. sie ganz nur ihren eigenen Trieben überläßt – daß die Katze früher oder später doch einmal trächtig wird, obgleich sie sowohl wie der Kater niemand hatten, dessen Beispiel ihnen hätte die Augen öffnen können.

Moritz. Bei Tieren muß sich das ja schließlich von selbst ergeben.

Melchior. Bei Menschen glaube ich erst recht! Ich bitte dich, Moritz, wenn deine Knaben mit den Mädchen auf ein und demselben Lager schlafen und es kommen ihnen nun unversehens die ersten männlichen Regungen – ich möchte mit jedermann eine Wette eingehen ...

Moritz. Darin magst du ja recht haben. – Aber immerhin ...

Melchior. Und bei deinen Mädchen wäre es im entsprechenden Alter vollkommen das nämliche! Nicht, daß das Mädchen gerade ... man kann das ja freilich so genau nicht beurteilen ... jedenfalls wäre vorauszusetzen ... und die Neugierde würde das ihrige zu tun auch nicht verabsäumen!

Moritz. Eine Frage beiläufig –
Melchior. Nun?
Moritz. Aber du antwortest?
Melchior. Natürlich!
5 Moritz. Wahr?!
Melchior. Meine Hand darauf. – – Nun, Moritz?
Moritz. Hast du den Aufsatz schon??
Melchior. So sprich doch frisch von der Leber weg! – Hier hört und sieht uns ja niemand.
10 Moritz. Selbstverständlich müßten meine Kinder nämlich tagsüber arbeiten, in Hof und Garten, oder sich durch Spiele zerstreuen, die mit körperlicher Anstrengung verbunden sind. Sie müßten reiten, turnen, klettern und vor allen Dingen nachts nicht so weich schlafen wie wir. Wir
15 sind schrecklich verweichlicht. – Ich glaube, man träumt gar nicht, wenn man hart schläft.
Melchior. Ich schlafe von jetzt bis nach der Weinlese überhaupt nur in meiner Hängematte. Ich habe mein Bett hinter den Ofen gestellt. Es ist zum Zusammenklappen. – Ver-
20 gangenen Winter träumte mir einmal, ich hätte unsern Lolo so lange gepeitscht, bis er kein Glied mehr rührte. Das war das Grauenhafteste, was ich je geträumt habe. – Was siehst du mich so sonderbar an?
Moritz. Hast du sie schon empfunden?
25 Melchior. Was?
Moritz. Wie sagtest du?
Melchior. Männliche Regungen?
Moritz. M-hm.
Melchior. – Allerdings!
30 Moritz. Ich auch. –
Melchior. Ich kenne das nämlich schon lange! – Schon bald ein Jahr.
Moritz. Ich war wie vom Blitz gerührt.
35 Melchior. Du hattest geträumt?
Moritz. Aber nur ganz kurz ... von Beinen im himmelblauen Trikot, die über das Katheder steigen – um aufrichtig zu sein, ich dachte, sie wollten hinüber. – Ich habe sie nur flüchtig gesehen.
40 Melchior. Georg Zirschnitz träumte von seiner *Mutter*.

Moritz. Hat er dir das erzählt?
Melchior. Draußen am Galgensteg!
Moritz. Wenn du wüßtest, was ich ausgestanden seit jener Nacht!
Melchior. Gewissensbisse? 5
Moritz. Gewissensbisse?? – – –
Todesangst!
Melchior. Herrgott...
Moritz. Ich hielt mich für unheilbar. Ich glaubte, ich litte an einem inneren Schaden. – Schließlich wurde ich nur 10 dadurch wieder ruhiger, daß ich meine Lebenserinnerungen aufzuzeichnen begann. Ja, ja, lieber Melchior, die letzten drei Wochen waren ein Gethsemane für mich.
Melchior. Ich war seinerzeit mehr oder weniger darauf gefaßt gewesen. Ich schämte mich ein wenig. – Das war 15 aber auch alles.
Moritz. Und dabei bist du noch fast um ein ganzes Jahr jünger als ich!
Melchior. Darüber, Moritz, würd' ich mir keine Gedanken machen. All meinen Erfahrungen nach besteht für das 20 erste Auftauchen dieser Phantome keine bestimmte Altersstufe. Kennst du den großen Lämmermeier mit dem strohgelben Haar und der Adlernase? Drei Jahre ist der älter als ich. Hänschen Rilow sagt, der träume noch bis heute von nichts als Sandtorten und Aprikosengelee. 25
Moritz. Ich bitte dich, wie kann Hänschen Rilow darüber urteilen!
Melchior. Er hat ihn gefragt.
Moritz. Er hat ihn gefragt? – Ich hätte mich nicht getraut, jemanden zu fragen. 30
Melchior. Du hast mich doch auch gefragt.
Moritz. Weiß Gott ja! – Möglicherweise hatte Hänschen auch schon sein Testament gemacht. – Wahrlich ein sonderbares Spiel, das man mit uns treibt. Und dafür sollen wir uns dankbar erweisen! Ich erinnere mich nicht, je eine 35 Sehnsucht nach dieser Art Aufregung verspürt zu haben. Warum hat man mich nicht ruhig schlafen lassen, bis alles wieder still gewesen wäre. Meine lieben Eltern hätten hundert bessere Kinder haben können. So bin ich nun hergekommen, ich weiß nicht wie, und soll mich dafür verant- 40

worten, daß ich nicht weggeblieben bin. – Hast du nicht auch schon darüber nachgedacht, Melchior, auf welche Art und Weise wir eigentlich in diesen Strudel hineingeraten?

Melchior. Du weißt das also noch nicht, Moritz?

Moritz. Wie sollt' ich es wissen? – Ich sehe, wie die Hühner Eier legen, und höre, daß mich Mama unter dem Herzen getragen haben will. Aber genügt denn das? – Ich erinnere mich auch, als fünfjähriges Kind schon befangen worden zu sein, wenn einer die dekolletierte Cœurdame aufschlug. Dieses Gefühl hat sich verloren. Indessen kann ich heute kaum mehr mit irgendeinem Mädchen sprechen, ohne etwas Verabscheuungswürdiges dabei zu denken, und – ich schwöre dir, Melchior – ich weiß nicht *was*.

Melchior. Ich sage dir alles. – Ich habe es teils aus Büchern, teils aus Illustrationen, teils aus Beobachtungen in der Natur. Du wirst überrascht sein; ich wurde seinerzeit Atheist. Ich habe es auch Georg Zirschnitz gesagt! Georg Zirschnitz wollte es Hänschen Rilow sagen, aber Hänschen Rilow hatte als Kind schon alles von seiner Gouvernante erfahren.

Moritz. Ich habe den *Kleinen Meyer* von A bis Z durchgenommen. Worte – nichts als Worte und Worte! Nicht eine einzige schlichte Erklärung. O dieses Schamgefühl! – Was soll mir ein Konversationslexikon, das auf die nächstliegende Lebensfrage nicht antwortet.

Melchior. Hast du schon einmal zwei Hunde über die Straße laufen sehen?

Moritz. Nein! – – Sag mir lieber heute noch nichts, Melchior. Ich habe noch Mittelamerika und Ludwig den Fünfzehnten vor mir. Dazu die sechzig Verse Homer, die sieben Gleichungen, der lateinische Aufsatz – ich würde morgen wieder überall abblitzen. Um mit Erfolg büffeln zu können, muß ich stumpfsinnig wie ein Ochse sein.

Melchior. Komm doch mit auf mein Zimmer. In dreiviertel Stunden habe ich den Homer, die Gleichungen und *zwei* Aufsätze. Ich korrigiere dir einige harmlose Schnitzer hinein, so ist die Sache im Blei. Mama braut uns wieder eine Limonade, und wir plaudern gemütlich über die Fortpflanzung.

Moritz. Ich kann nicht. – Ich kann nicht gemütlich über

die Fortpflanzung plaudern! Wenn du mir einen Gefallen tun willst, dann gib mir deine Unterweisungen schriftlich. Schreib mir auf, was du weißt. Schreib es möglichst kurz und klar und steck es mir morgen während der Turnstunde zwischen die Bücher. Ich werde es nach Hause tragen, ohne zu wissen, daß ich es habe. Ich werde es unverhofft einmal wiederfinden. Ich werde nicht umhin können, es müden Auges zu durchfliegen ... falls es unumgänglich notwendig ist, magst du ja auch einzelne Randzeichnungen anbringen.

Melchior. Du bist wie ein Mädchen. – Übrigens wie du willst! Es ist mir das eine ganz interessante Arbeit. – – Eine Frage, Moritz.

Moritz. Hm?

Melchior. – Hast du schon einmal ein Mädchen gesehen?

Moritz. Ja!

Melchior. Aber ganz?!

Moritz. *Vollständig!*

Melchior. Ich nämlich auch! – Dann werden keine Illustrationen nötig sein.

Moritz. Während des Schützenfestes, in Leilichs anatomischem Museum! Wenn es aufgekommen wäre, hätte man mich aus der Schule gejagt. – Schön wie der lichte Tag, und – o so naturgetreu!

Melchior. Ich war letzten Sommer mit Mama in Frankfurt – – Du willst schon gehen, Moritz?

Moritz. Arbeiten machen. – Gute Nacht.

Melchior. Auf Wiedersehen.

DRITTE SZENE

Thea, Wendla und Martha kommen Arm in Arm die Straße herauf.

Martha. Wie einem das Wasser ins Schuhwerk dringt!

Wendla. Wie einem der Wind um die Wangen saust!

Thea. Wie einem das Herz hämmert!

Wendla. Gehn wir zur Brücke hinaus! Ilse sagte, der Fluß führe Sträucher und Bäume. Die Jungens haben ein Floß auf dem Wasser. Melchi Gabor soll gestern abend beinah ertrunken sein.

Thea. O der kann schwimmen!
Martha. Das will ich meinen, Kind!
Wendla. Wenn der nicht hätte schwimmen können, wäre er wohl sicher ertrunken!
Thea. Dein Zopf geht auf, Martha; dein Zopf geht auf!
Martha. Puh – laß ihn aufgehn! Er ärgert mich so Tag und Nacht. Kurze Haare tragen wie du darf ich nicht, das Haar offen tragen wie Wendla darf ich nicht, Ponyhaare tragen darf ich nicht, und zu Hause muß ich mir gar die Frisur machen – alles der Tanten wegen!
Wendla. Ich bringe morgen eine Schere mit in die Religionsstunde. Während du »Wohl dem, der nicht wandelt« rezitierst, werd ich ihn abschneiden.
Martha. Um Gottes willen, Wendla! Papa schlägt mich krumm, und Mama sperrt mich drei Nächte ins Kohlenloch.
Wendla. Womit schlägt er dich, Martha?
Martha. Manchmal ist es mir, es müßte ihnen doch etwas abgehen, wenn sie keinen so schlecht gearteten Balg hätten wie ich.
Thea. Aber Mädchen!
Martha. Hast du dir nicht auch ein himmelblaues Band durch die Hemdpasse ziehen dürfen?
Thea. Rosa Atlas! Mama behauptet, Rosa stehe mir bei meinen pechschwarzen Augen.
Martha. Mir stand Blau reizend! – Mama riß mich am Zopf zum Bett heraus. So – fiel ich mit den Händen vorauf auf die Diele. – Mama betet nämlich Abend für Abend mit uns ...
Wendla. Ich an deiner Stelle wäre ihnen längst in die Welt hinausgelaufen.
Martha. ... Da habe man's, worauf ich ausgehe! – Da habe man's ja! – Aber sie wolle schon sehen – o sie wolle noch sehen! – Meiner Mutter wenigstens solle ich einmal keine Vorwürfe machen können ...
Thea. Hu – Hu –
Martha. Kannst du dir denken, Thea, was Mama damit meinte?
Thea. Ich nicht. – Du, Wendla?
Wendla. Ich hätte sie einfach gefragt.

Martha. Ich lag auf der Erde und schrie und heulte. Da kommt Papa. Ritsch – das Hemd herunter. Ich zur Türe hinaus. Da habe man's! Ich wolle nun wohl so auf die Straße hinunter ...

Wendla. Das ist doch gar nicht wahr, Martha.

Martha. Ich fror. Ich schloß auf. Ich habe die ganze Nacht im Sack schlafen müssen.

Thea. Ich könnte meiner Lebtag in keinem Sack schlafen!

Wendla. Ich möchte ganz gern mal für dich in deinem Sack schlafen.

Martha. Wenn man nur nicht geschlagen wird.

Thea. Aber man erstickt doch darin!

Martha. Der Kopf bleibt frei. Unter dem Kinn wird zugebunden.

Thea. Und dann schlagen sie dich?

Martha. Nein. Nur wenn etwas Besonderes vorliegt.

Wendla. Womit schlägt man dich, Martha?

Martha. Ach was – mit allerhand. – Hält es deine Mutter auch für unanständig, im Bett ein Stück Brot zu essen?

Wendla. Nein, nein.

Martha. Ich glaube immer, sie haben doch ihre Freude – wenn sie auch nichts davon sagen. – Wenn ich einmal Kinder habe, ich lasse sie aufwachsen wie das Unkraut in unserem Blumengarten. Um das kümmert sich niemand, und es steht so hoch, so dicht – während die Rosen in den Beeten an ihren Stöcken mit jedem Sommer kümmerlicher blühn.

Thea. Wenn ich Kinder habe, kleid ich sie ganz in Rosa, Rosahüte, Rosakleidchen, Rosaschuhe. Nur die Strümpfe – die Strümpfe schwarz wie die Nacht! Wenn ich dann spazierengehe, laß ich sie vor mir hermarschieren. – Und du, Wendla?

Wendla. Wißt ihr denn, ob ihr welche bekommt?

Thea. Warum sollten wir keine bekommen?

Martha. Tante Euphemia hat allerdings auch keine.

Thea. Gänschen! – weil sie nicht *verheiratet* ist.

Wendla. Tante Bauer war dreimal verheiratet und hat nicht ein einziges.

Martha. Wenn du welche bekommst, Wendla, was möchtest du lieber, Knaben oder Mädchen?

Wendla. Jungens! Jungens!
Thea. Ich auch Jungens!
Martha. Ich auch. Lieber zwanzig Jungens als drei Mädchen.
5 Thea. Mädchen sind langweilig!
Martha. Wenn ich nicht schon ein Mädchen geworden wäre, ich würde es heute gewiß nicht mehr.
Wendla. Das ist, glaube ich, Geschmacksache, Martha! Ich freue mich jeden Tag, daß ich ein Mädchen bin. Glaub mir,
10 ich wollte mit keinem Königssohn tauschen. – Darum möchte ich aber doch nur Buben!
Thea. Das ist doch Unsinn, lauter Unsinn, Wendla!
Wendla. Aber ich bitte dich, Kind, es muß doch tausendmal erhebender sein, von einem Manne geliebt zu werden,
15 als von einem Mädchen!
Thea. Du wirst doch nicht behaupten wollen, Forstreferendar Pfälle liebe Melitta mehr als sie ihn!
Wendla. Das will ich wohl, Thea! – Pfälle ist stolz. Pfälle ist stolz darauf, daß er Forstreferendar ist – denn Pfälle
20 hat nichts. – Melitta ist *selig*, weil sie zehntausendmal mehr bekommt, als sie ist.
Martha. Bist du nicht stolz auf dich, Wendla?
Wendla. Das wäre doch einfältig.
Martha. Wie wollt' ich stolz sein an deiner Stelle!
25 Thea. Sieh doch nur, wie sie die Füße setzt – wie sie geradeaus schaut – wie sie sich hält, Martha! – Wenn das nicht Stolz ist!
Wendla. Wozu nur? Ich bin so glücklich, ein Mädchen zu sein; wenn ich kein Mädchen wär', brächt' ich mich um, um
30 das nächste Mal . . .
Melchior *(geht vorüber und grüßt)*.
Thea. Er hat einen wundervollen Kopf.
Martha. So denke ich mir den jungen Alexander, als er zu Aristoteles in die Schule ging.
35 Thea. Du lieber Gott, die griechische Geschichte! Ich weiß nur noch, wie Sokrates in der Tonne lag, als ihm Alexander den Eselsschatten verkaufte.
Wendla. Er soll der Drittbeste in seiner Klasse sein.
Thea. Professor Knochenbruch sagt, wenn er wollte, könnte
40 er Primus sein.

Martha. Er hat eine schöne Stirn, aber sein Freund hat einen seelenvolleren Blick.

Thea. Moritz Stiefel? – Ist das eine Schlafmütze!

Martha. Ich habe mich immer ganz gut mit ihm unterhalten.

Thea. Er blamiert einen, wo man ihn trifft. Auf dem Kinderball bei Rilows bot er mir Pralinés an. Denke dir, Wendla, die waren weich und warm. Ist das nicht...? – Er sagte, er habe sie zu lang in der Hosentasche gehabt.

Wendla. Denke dir, Melchi Gabor sagte mir damals, er glaube an nichts – nicht an Gott, nicht an ein Jenseits – an gar nichts mehr in dieser Welt.

VIERTE SZENE

Parkanlagen vor dem Gymnasium. – Melchior, Otto, Georg, Robert, Hänschen Rilow, Lämmermeier.

Melchior. Kann mir einer von euch sagen, wo Moritz Stiefel steckt?

Georg. Dem kann's schlecht gehn! O dem kann's schlecht gehn!

Otto. Der treibt's so lange, bis er noch mal ganz gehörig reinfliegt!

Lämmermeier. Weiß der Kuckuck, ich möchte in diesem Moment nicht in seiner Haut stecken!

Robert. Eine Frechheit! – Eine Unverschämtheit!

Melchior. Wa – wa – was wißt ihr denn!

Georg. Was wir wissen? – Na, ich sage dir ...!

Lämmermeier. Ich möchte nichts gesagt haben!

Otto. Ich auch nicht – weiß Gott nicht!

Melchior. Wenn ihr jetzt nicht sofort ...

Robert. Kurz und gut, Moritz Stiefel ist ins *Konferenzzimmer* gedrungen.

Melchior. Ins Konferenzzimmer ...?

Otto. Ins Konferenzzimmer! – Gleich nach Schluß der Lateinstunde.

Georg. Er war der Letzte; er blieb absichtlich zurück.

Lämmermeier. Als ich um die Korridorecke bog, sah ich ihn die Tür öffnen.

Melchior. Hol dich der ...!
Lämmermeier. Wenn nur ihn nicht der Teufel holt!
Georg. Vermutlich hatte das Rektorat den Schlüssel nicht abgezogen.
5 Robert. Oder Moritz Stiefel führt einen Dietrich.
Otto. Ihm wäre das zuzutrauen.
Lämmermeier. Wenn's gut geht, bekommt er einen Sonntagnachmittag.
Robert. Nebst einer Bemerkung ins Zeugnis!
10 Otto. Wenn er bei dieser Zensur nicht ohnehin an die Luft fliegt.
Hänschen Rilow. Da ist er!
Melchior. Blaß wie ein Handtuch.

(Moritz kommt in äußerster Aufregung.)

15 Lämmermeier. Moritz, Moritz, was du getan hast!
Moritz. – – Nichts – – nichts – –
Robert. Du fieberst!
Moritz. – Vor Glück – vor Seligkeit – vor Herzensjubel –
Otto. Du bist erwischt worden?!
20 Moritz. Ich bin promoviert! – Melchior, ich bin promoviert: – O jetzt kann die Welt untergehn! – Ich bin promoviert! – Wer hätte geglaubt, daß ich promoviert werde! – Ich faß es noch nicht! – Zwanzigmal hab ich's gelesen! – Ich kann's nicht glauben – du großer Gott, es blieb! Es
25 blieb! *Ich bin promoviert!* – *(Lächelnd.)* Ich weiß nicht – so sonderbar ist mir – der Boden dreht sich ... Melchior, Melchior, wüßtest du, was ich durchgemacht!
Hänschen Rilow. Ich gratuliere, Moritz. – Sei nur froh, daß du so weggekommen!
30 Moritz. Du weißt nicht, Hänschen, du ahnst nicht, was auf dem Spiel stand. Seit drei Wochen schleiche ich an der Tür vorbei wie am Höllenschlund. Da sehe ich heute, sie ist angelehnt. Ich glaube, wenn man mir eine Million geboten hätte – nichts, o nichts hätte mich zu halten ver-
35 mocht! – Ich stehe mitten im Zimmer – ich schlage das Protokoll auf – blättere – finde – – und während all der Zeit ... Mir schaudert –
Melchior. ... während all der Zeit?
Moritz. Während all der Zeit steht die Tür hinter mir

sperrangelweit offen. Wie ich heraus ... wie ich die Treppe heruntergekommen, weiß ich nicht.

Hänschen Rilow. – Wird Ernst Röbel auch promoviert?

Moritz. O gewiß, Hänschen, gewiß! – Ernst Röbel wird gleichfalls promoviert.

Robert. Dann mußt du schon nicht richtig gelesen haben. Die Eselsbank abgerechnet, zählen wir mit dir und Fröbel zusammen einundsechzig, während oben das Klassenzimmer mehr als sechzig nicht fassen kann.

Moritz. Ich habe vollkommen richtig gelesen. Ernst Röbel wird so gut versetzt wie ich – beide allerdings vorläufig nur *provisorisch*. Während des ersten Quartals soll es sich dann herausstellen, wer dem andern Platz zu machen hat. – Armer Röbel! – Weiß der Himmel, mir ist um mich nicht mehr bange. Dazu habe ich diesmal zu tief hinuntergeblickt.

Otto. Ich wette fünf Mark, daß du Platz machst.

Moritz. Du hast ja nichts. Ich will dich nicht ausrauben. – Herrgott, werd ich büffeln von heute an! – Jetzt kann ich's ja sagen – mögt ihr daran glauben oder nicht – jetzt ist ja alles gleichgültig – ich – ich weiß, wie wahr es ist: Wenn ich nicht promoviert worden wäre, hätte ich mich erschossen.

Robert. Prahlhans!

Georg. Der Hasenfuß!

Otto. Dich hätte ich schießen sehen mögen!

Lämmermeier. Eine Maulschelle drauf!

Melchior *(gibt ihm eine)*. – – Komm, Moritz. Gehn wir zum Försterhaus!

Georg. Glaubst du vielleicht an den Schnack?

Melchior. Schert dich das? – – Laß sie schwatzen, Moritz! Fort, nur fort, zur Stadt hinaus!

(Die Professoren Hungergurt und Knochenbruch gehen vorüber.)

Knochenbruch. Mir unbegreiflich, verehrter Herr Kollega, wie sich der beste meiner Schüler gerade zum allerschlechtesten so hingezogen fühlen kann.

Hungergurt. Mir auch, verehrter Herr Kollega.

FÜNFTE SZENE

Sonniger Nachmittag. – Melchior und Wendla begegnen einander im Wald.

Melchior. Bist du's wirklich, Wendla? – Was tust denn du
5 so allein hier oben? – Seit drei Stunden durchstreife ich den Wald die Kreuz und Quer, ohne daß mir eine Seele begegnet, und nun plötzlich trittst du mir aus dem dichtesten Dickicht entgegen!

Wendla. Ja, ich bin's.

10 Melchior. Wenn ich dich nicht als Wendla Bergmann kennte, ich hielte dich für eine Dryade, die aus den Zweigen gefallen.

Wendla. Nein, nein, ich bin Wendla Bergmann. – Wo kommst denn du her?

15 Melchior. Ich gehe meinen Gedanken nach.

Wendla. Ich suche Waldmeister. Mama will Maitrank bereiten. Anfangs wollte sie selbst mitgehen, aber im letzten Augenblick kam Tante Bauer noch, und die steigt nicht gern. – So bin ich denn allein heraufgekommen.

20 Melchior. Hast du deinen Waldmeister schon?

Wendla. Den ganzen Korb voll. Drüben unter den Buchen steht er dicht wie Mattenklee. – Jetzt sehe ich mich nämlich nach einem Ausweg um. Ich scheine mich verirrt zu haben. Kannst du mir vielleicht sagen, wieviel Uhr es ist?

25 Melchior. Eben halb vier vorbei. – Wann erwartet man dich?

Wendla. Ich glaubte, es wäre später. Ich lag eine ganze Weile am Goldbach im Moose und habe geträumt. Die Zeit verging mir so rasch; ich fürchtete, es wolle schon Abend
30 werden.

Melchior. Wenn man dich noch nicht erwartet, dann laß uns hier noch ein wenig lagern. Unter der Eiche dort ist mein Lieblingsplätzchen. Wenn man den Kopf an den Stamm zurücklehnt und durch die Äste in den Himmel
35 starrt, wird man hypnotisiert. Der Boden ist noch warm von der Morgensonne. – Schon seit Wochen wollte ich dich etwas fragen, Wendla.

Wendla. Aber vor fünf muß ich zu Hause sein.

Melchior. Wir gehen dann zusammen. Ich nehme den

Korb, und wir schlagen den Weg durch die Runse ein, so sind wir in zehn Minuten schon auf der Brücke! – Wenn man so daliegt, die Stirn in die Hand gestützt, kommen einem die sonderbarsten Gedanken ...

(Beide lagern sich unter der Eiche.)

Wendla. Was wolltest du mich fragen, Melchior?

Melchior. Ich habe gehört, Wendla, du gehest häufig zu armen Leuten. Du brächtest ihnen Essen, auch Kleider und Geld. Tust du das aus eigenem Antriebe, oder schickt deine Mutter dich?

Wendla. Meistens schickt mich die Mutter. Es sind arme Taglöhnerfamilien, die eine Unmenge Kinder haben. Oft findet der Mann keine Arbeit, dann frieren und hungern sie. Bei uns liegt aus früherer Zeit noch so mancherlei in Schränken und Kommoden, das nicht mehr gebraucht wird. Aber wie kommst du darauf?

Melchior. Gehst du gern oder ungern, wenn deine Mutter dich so wohin schickt?

Wendla. O für mein Leben gern! Wie kannst du fragen!

Melchior. Aber die Kinder sind schmutzig, die Frauen sind krank, die Wohnungen strotzen von Unrat, die Männer hassen dich, weil du nicht arbeitest ...

Wendla. Das ist nicht wahr, Melchior. Und wenn es wahr wäre, ich würde erst recht gehen!

Melchior. Wieso erst recht, Wendla?

Wendla. Ich würde erst recht hingehen. – Es würde mir noch viel mehr Freude bereiten, ihnen helfen zu können.

Melchior. Du gehst also um deiner Freude willen zu den armen Leuten?

Wendla. Ich gehe zu ihnen, weil sie arm sind.

Melchior. Aber wenn es dir keine Freude wäre, würdest du nicht gehen?

Wendla. Kann ich denn dafür, daß es mir Freude macht?

Melchior. Und doch sollst du dafür in den Himmel kommen! – So ist es also richtig, was mir nun seit einem Monat keine Ruhe mehr läßt! – Kann der Geizige dafür, daß es ihm keine Freude macht, zu schmutzigen kranken Kindern zu gehen?

Wendla. O dir würde es sicher die größte Freude sein!

Melchior. Und doch soll er dafür des ewigen Todes sterben! – Ich werde eine Abhandlung schreiben und sie Herrn Pastor Kahlbauch einschicken. Er ist die Veranlassung. Was faselt er uns von *Opferfreudigkeit*! – Wenn er mir nicht antworten kann, gehe ich nicht mehr in die Kinderlehre und lasse mich nicht konfirmieren.

Wendla. Warum willst du deinen lieben Eltern den Kummer bereiten! Laß dich doch konfirmieren; den Kopf kostet's doch nicht. Wenn unsere schrecklichen weißen Kleider und eure Schlepphosen nicht wären, würde man sich vielleicht noch dafür begeistern können!

Melchior. Es gibt keine Aufopferung! Es gibt keine Selbstlosigkeit! – Ich sehe die Guten sich ihres Herzens freun, sehe die Schlechten beben und stöhnen – ich sehe dich, Wendla Bergmann, deine Locken schütteln und lachen, und mir wird so ernst dabei wie einem Geächteten. – – Was hast du vorhin geträumt, Wendla, als du am Goldbach im Grase lagst?

Wendla. – – Dummheiten – Narreteien –

Melchior. Mit offenen Augen?!

Wendla. Mir träumte, ich wäre ein armes, armes Bettelkind, ich würde früh fünf schon auf die Straße geschickt, ich müßte betteln den ganzen langen Tag in Sturm und Wetter, unter hartherzigen, rohen Menschen. Und käm' ich abends nach Hause, zitternd vor Hunger und Kälte, und hätte so viel Geld nicht, wie mein Vater verlangt, dann würd' ich geschlagen – geschlagen –

Melchior. Das kenne ich, Wendla. Das hast du den albernen Kindergeschichten zu danken. Glaub mir, so brutale Menschen existieren nicht mehr.

Wendla. O doch, Melchior, du irrst. – Martha Bessel wird Abend für Abend geschlagen, daß man andern Tags Striemen sieht. O was die leiden muß! Siedendheiß wird es einem, wenn sie erzählt. Ich bedaure sie so furchtbar, ich muß oft mitten in der Nacht in die Kissen weinen. Seit Monaten denke ich darüber nach, wie man ihr helfen kann. – Ich wollte mit Freuden einmal acht Tage an ihrer Stelle sein.

Melchior. Man sollte den Vater kurzweg verklagen. Dann würde ihm das Kind weggenommen.

Wendla. Ich, Melchior, bin in meinem Leben nie geschlagen

worden – nicht ein einziges Mal. Ich kann mir kaum denken, wie das tut, geschlagen zu werden. Ich habe mich schon selber geschlagen, um zu erfahren, wie einem dabei ums Herz wird. – Es muß ein grauenvolles Gefühl sein.

Melchior. Ich glaube nicht, daß je ein Kind dadurch besser wird.

Wendla. Wodurch besser wird?

Melchior. Daß man es schlägt.

Wendla. – Mit dieser Gerte zum Beispiel! – Hu, ist die zäh und dünn!

Melchior. Die zieht Blut!

Wendla. Würdest du mich nicht einmal damit schlagen?

Melchior. Wen?

Wendla. Mich.

Melchior. Was fällt dir ein, Wendla!

Wendla. Was ist denn dabei?

Melchior. O sei ruhig! – Ich schlage dich nicht.

Wendla. Wenn ich dir's doch erlaube!

Melchior. Nie, Mädchen!

Wendla. Aber wenn ich dich darum bitte, Melchior!

Melchior. Bist du nicht bei Verstand?

Wendla. Ich bin in meinem Leben nie geschlagen worden!

Melchior. Wenn du um so etwas bitten kannst . . .!

Wendla. – Bitte – bitte –

Melchior. Ich will dich bitten lehren! – *(Er schlägt sie.)*

Wendla. Ach Gott – ich spüre nicht das geringste!

Melchior. Das glaub ich dir – – durch all deine Röcke durch . . .

Wendla. So schlag mich doch an die Beine!

Melchior. Wendla! *(Er schlägt sie stärker.)*

Wendla. Du streichelst mich ja! – Du streichelst mich!

Melchior. Wart, Hexe, ich will dir den Satan austreiben! *(Er wirft den Stock beiseite und schlägt derart mit den Fäusten drein, daß sie in ein fürchterliches Geschrei ausbricht. Er kehrt sich nicht daran, sondern drischt wie wütend auf sie los, während ihm die dicken Tränen über die Wangen rinnen. Plötzlich springt er empor, faßt sich mit beiden Händen an die Schläfen und stürzt, aus tiefster Seele jammervoll aufschluchzend, in den Wald hinein.)*

ZWEITER AKT

ERSTE SZENE

Abend auf Melchiors Studierzimmer. Das Fenster steht offen, die Lampe brennt auf dem Tisch. – Melchior und Moritz auf dem Kanapee.

Moritz. Jetzt bin ich wieder ganz munter, nur etwas aufgeregt. – Aber in der Griechischstunde habe ich doch geschlafen wie der besoffene Polyphem. Nimmt mich wunder, daß mich der alte Zungenschlag nicht in die Ohren gezwickt. – Heut früh wäre ich um ein Haar noch zu spät gekommen. – Mein erster Gedanke beim Erwachen waren die Verba auf μι. – Himmel-Herrgott-Teufel-Donnerwetter, während des Frühstücks und den Weg entlang habe ich konjugiert, daß mir grün vor den Augen wurde. – Kurz nach drei muß ich abgeschnappt sein. Die Feder hat mir noch einen Klecks ins Buch gemacht. Die Lampe qualmte, als Mathilde mich weckte, in den Fliederbüschen unter dem Fenster zwitscherten die Amseln so lebensfroh – mir ward gleich wieder unsagbar melancholisch zumute. Ich band mir den Kragen um und fuhr mit der Bürste durchs Haar. – – Aber man fühlt sich, wenn man seiner Natur etwas abgerungen!

Melchior. Darf ich dir eine Zigarette drehen?

Moritz. Danke, ich rauche nicht. – Wenn es nun nur so weitergeht! Ich will arbeiten und arbeiten, bis mir die Augen zum Kopf herausplatzen. – Ernst Röbel hat seit den Ferien schon sechsmal nichts gekonnt; dreimal im Griechischen, zweimal bei Knochenbruch; das letztemal in der Literaturgeschichte. Ich war erst fünfmal in der bedauernswerten Lage; und von heute ab kommt es überhaupt nicht mehr vor! – Röbel erschießt sich nicht. Röbel hat keine Eltern, die ihm ihr Alles opfern. Er kann, wann er will, Söldner, Cowboy oder Matrose werden. Wenn *ich* durchfalle, rührt meinen Vater der Schlag, und Mama kommt ins Irrenhaus. So was erlebt man nicht! – Vor dem Examen habe ich zu Gott gefleht, er möge mich schwindsüchtig werden lassen, auf daß der Kelch ungenossen vorübergehe.

Er ging vorüber – wenngleich mir auch heute noch seine Aureole aus der Ferne entgegenleuchtet, daß ich Tag und Nacht den Blick nicht zu heben wage. – Aber nun ich die Stange erfaßt, werde ich mich auch hinaufschwingen. Dafür bürgt mir die unabänderliche Konsequenz, daß ich nicht stürze, ohne das Genick zu brechen.

Melchior. Das Leben ist von einer ungeahnten Gemeinheit. Ich hätte nicht übel Lust, mich in die Zweige zu hängen. – Wo Mama mit dem Tee nur bleibt!

Moritz. Dein Tee wird mir gut tun, Melchior! Ich zittre nämlich. Ich fühle mich so eigentümlich vergeistert. Betaste mich bitte mal. Ich sehe – ich höre – ich fühle viel deutlicher – und doch alles so traumhaft – oh, so stimmungsvoll. – Wie sich dort im Mondschein der Garten dehnt, so still, so tief, als ging er ins Unendliche. – Unter den Büschen treten umflorte Gestalten hervor, huschen in atemloser Geschäftigkeit über die Lichtungen und verschwinden im Halbdunkel. Mir scheint, unter dem Kastanienbaum soll eine Ratsversammlung gehalten werden. – Wollen wir nicht hinunter, Melchior?

Melchior. Warten wir, bis wir Tee getrunken.

Moritz. – Die Blätter flüstern so emsig. – Es ist, als hörte ich Großmutter selig die Geschichte von der »Königin ohne Kopf« erzählen. – Das war eine wunderschöne Königin, schön wie die Sonne, schöner als alle Mädchen im Land. Nur war sie leider ohne Kopf auf die Welt gekommen. Sie konnte nicht essen, nicht trinken, konnte nicht sehen, nicht lachen und auch nicht küssen. Sie vermochte sich mit ihrem Hofstaat nur durch ihre kleine weiche Hand zu verständigen. Mit den zierlichen Füßen strampelte sie Kriegserklärungen und Todesurteile. Da wurde sie eines Tages von einem Könige besiegt, der zufällig zwei Köpfe hatte, die sich das ganze Jahr in den Haaren lagen und dabei so aufgeregt disputierten, daß keiner den andern zu Wort kommen ließ. Der Oberhofzauberer nahm nun den kleineren der beiden und setzte ihn der Königin auf. Und siehe, er stand ihr vortrefflich. Darauf heiratete der König die Königin, und die beiden lagen einander nun nicht mehr in den Haaren, sondern küßten einander auf Stirn, auf Wangen und Mund und lebten noch lange Jahre glücklich und in Freuden ... Verwünschter Unsinn! Seit den Ferien kommt mir die kopflose Königin nicht aus dem Kopf. Wenn ich ein schönes Mädchen sehe, sehe ich es ohne Kopf – und erscheine mir dann plötzlich selber als kopflose Königin ... 5 Möglich, daß mir noch mal einer aufgesetzt wird.

(Frau Gabor kommt mit dem dampfenden Tee, den sie vor Moritz und Melchior auf den Tisch setzt.)

Frau Gabor. Hier, Kinder, laßt es euch munden. Guten Abend, Herr Stiefel; wie geht es Ihnen?

10 Moritz. Danke, Frau Gabor. – Ich belausche den Reigen dort unten.

Frau Gabor. Sie sehen aber gar nicht gut aus. – Fühlen Sie sich nicht wohl?

Moritz. Es hat nichts zu sagen. Ich bin die letzten Abende 15 etwas spät zu Bett gekommen.

Melchior. Denke dir, er hat die ganze Nacht durchgearbeitet.

Frau Gabor. Sie sollten so etwas nicht tun, Herr Stiefel. Sie sollten sich schonen. Bedenken Sie Ihre Gesundheit. Die 20 Schule ersetzt Ihnen die Gesundheit nicht. – Fleißig spazierengehn in der frischen Luft! Das ist in Ihren Jahren mehr wert als ein korrektes Mittelhochdeutsch.

Moritz. Ich werde fleißig spazierengehn. Sie haben recht. Man kann auch während des Spazierengehens fleißig sein. 25 Daß ich noch selbst nicht auf den Gedanken gekommen! – Die schriftlichen Arbeiten müßte ich immerhin zu Hause machen.

Melchior. Das Schriftliche machst du bei mir; so wird es uns beiden leichter. – Du weißt ja, Mama, daß Max von 30 Trenk am Nervenfieber darniederlag! – Heute mittag kommt Hänschen Rilow von Trenks Totenbett zu Rektor Sonnenstich, um anzuzeigen, daß Trenk soeben in seiner Gegenwart gestorben sei. – »So?« sagt Sonnenstich, »hast du von letzter Woche her nicht noch zwei Stunden nach-35 zusitzen? – Hier ist der Zettel an den Pedell. Mach, daß die Sache endlich ins reine kommt! Die ganze Klasse soll an der Beerdigung teilnehmen.« – Hänschen war wie gelähmt.

Frau Gabor. Was hast du da für ein Buch, Melchior?

40 Melchior. »Faust.«

Frau Gabor. Hast du es schon gelesen?
Melchior. Noch nicht zu Ende.
Moritz. Wir sind gerade in der Walpurgisnacht.
Frau Gabor. Ich hätte an deiner Stelle noch ein, zwei Jahre damit gewartet. 5
Melchior. Ich kenne kein Buch, Mama, in dem ich so viel Schönes gefunden. Warum hätte ich es nicht lesen sollen?
Frau Gabor. – Weil du es nicht verstehst.
Melchior. Das kannst du nicht wissen, Mama. Ich fühle sehr wohl, daß ich das Werk in seiner ganzen Erhabenheit 10 zu erfassen noch nicht imstande bin ...
Moritz. Wir lesen immer zu zweit; das erleichtert das Verständnis außerordentlich!
Frau Gabor. Du bist alt genug, Melchior, um wissen zu können, was dir zuträglich und was dir schädlich ist. Tu, 15 was du vor dir verantworten kannst. Ich werde die erste sein, die es dankbar anerkennt, wenn du mir niemals Grund gibst, dir etwas vorenthalten zu müssen. – Ich wollte dich nur darauf aufmerksam machen, daß auch das Beste nachteilig wirken kann, wenn man noch die Reife nicht 20 besitzt, um es richtig aufzunehmen. – Ich werde mein Vertrauen immer lieber in *dich* als in irgendbeliebige erzieherische Maßregeln setzen. – – Wenn ihr noch etwas braucht, Kinder, dann komm herüber, Melchior, und rufe mich. Ich bin auf meinem Schlafzimmer. *(Ab.)* 25
Moritz. Deine Mama meinte die Geschichte mit Gretchen.
Melchior. Haben wir uns auch nur einen Moment dabei aufgehalten!
Moritz. Faust selber kann sich nicht kaltblütiger darüber hinweggesetzt haben! 30
Melchior. Das Kunstwerk gipfelt doch schließlich nicht in dieser Schändlichkeit! – Faust könnte dem Mädchen die Heirat versprochen, könnte es daraufhin verlassen haben, er wäre in meinen Augen um kein Haar weniger strafbar. Gretchen könnte ja meinethalben an gebrochenem Herzen 35 sterben. – Sieht man, wie jeder *darauf* immer gleich krampfhaft die Blicke richtet, man möchte glauben, die ganze Welt drehe sich um P ... und V ...!
Moritz. Wenn ich aufrichtig sein soll, Melchior, so habe ich nämlich tatsächlich das Gefühl, seit ich deinen Aufsatz 40

gelesen. – In den ersten Feiertagen fiel er mir vor die Füße. Ich hatte den Plötz in der Hand. – Ich verriegelte die Tür und durchflog die flimmernden Zeilen, wie eine aufgeschreckte Eule einen brennenden Wald durchfliegt – ich
5 glaube, ich habe das meiste mit geschlossenen Augen gelesen. Wie eine Reihe dunkler Erinnerungen klangen mir deine Auseinandersetzungen ins Ohr, wie ein Lied, das einer als Kind einst fröhlich vor sich hingesummt und das ihm, wie er eben im Sterben liegt, herzerschütternd aus
10 dem Mund eines andern entgegentönt. – Am heftigsten zog mich in Mitleidenschaft, was du vom Mädchen schreibst. Ich werde die Eindrücke nicht mehr los. Glaub mir, Melchior, Unrecht leiden zu müssen ist süßer denn Unrecht tun! Unverschuldet ein so süßes Unrecht über sich ergehen
15 lassen zu müssen, scheint mir der Inbegriff aller irdischen Seligkeit.

Melchior. Ich will meine Seligkeit nicht als Almosen!

Moritz. Aber warum denn nicht?

Melchior. Ich *will* nichts, was ich mir nicht habe erkämp-
20 fen müssen!

Moritz. Ist dann das noch Genuß, Melchior? – Das Mädchen, Melchior, genießt wie die seligen Götter. Das Mädchen wehrt sich dank seiner Veranlagung. Es hält sich bis zum letzten Augenblick von jeder Bitternis frei, um mit
25 einem Male alle Himmel über sich hereinbrechen zu sehen. Das Mädchen fürchtet die Hölle noch in dem Moment, da es ein erblühendes Paradies wahrnimmt. Sein Empfinden ist so frisch wie der Quell, der dem Fels entspringt. Das Mädchen ergreift einen Pokal, über den noch kein irdischer
30 Hauch geweht, einen Nektarkelch, dessen Inhalt es, wie er flammt und flackert, hinunterschlingt ... Die Befriedigung, die der Mann dabei findet, denke ich mir schal und abgestanden.

Melchior. Denke sie dir, wie du magst, aber behalte sie
35 für dich. – Ich denke sie mir nicht gern ...

ZWEITE SZENE

Wohnzimmer.

Frau Bergmann *(den Hut auf, die Mantille um, einen Korb am Arm, mit strahlendem Gesicht durch die Mitteltür eintretend).* Wendla! – Wendla! 5

Wendla *(erscheint in Unterröckchen und Korsett in der Seitentüre rechts).* Was gibt's, Mutter?

Frau Bergmann. Du bist schon auf, Kind? – Sieh, das ist schön von dir!

Wendla. Du warst schon ausgegangen? 10

Frau Bergmann. Zieh dich nun nur flink an! – Du mußt gleich zu *Ina* hinunter, du mußt ihr den Korb da bringen!

Wendla *(sich während des folgenden vollends ankleidend).* Du warst bei Ina? – Wie geht es Ina? – Will's noch immer 15 nicht bessern?

Frau Bergmann. Denk dir, Wendla, diese Nacht war der Storch bei ihr und hat ihr einen kleinen Jungen gebracht.

Wendla. Einen Jungen? – Einen Jungen! – O das ist herr- 20 lich – – Deshalb die langwierige Influenza!

Frau Bergmann. Einen prächtigen Jungen!

Wendla. Den muß ich sehen, Mutter! – So bin ich nun zum dritten Male Tante geworden – Tante von einem Mädchen und zwei Jungens! 25

Frau Bergmann. Und was für Jungens! – So geht's eben, wenn man so dicht beim Kirchendach wohnt! – Morgen sind's erst zwei Jahr, daß sie in ihrem Mullkleid die Stufen hinanstieg.

Wendla. Warst du dabei, als er ihn brachte? 30

Frau Bergmann. Er war eben wieder fortgeflogen. – Willst du dir nicht eine Rose vorstecken?

Wendla. Warum kamst du nicht etwas früher hin, Mutter?

Frau Bergmann. Ich glaube aber beinahe, er hat dir auch etwas mitgebracht – eine Brosche oder was. 35

Wendla. Es ist wirklich schade!

Frau Bergmann. Ich sage dir ja, daß er dir eine Brosche mitgebracht hat!

Wendla. Ich habe Broschen genug ...

Frau Bergmann. Dann sei auch zufrieden, Kind. Was willst du denn noch?

Wendla. Ich hätte so furchtbar gerne gewußt, ob er durchs Fenster oder durch den Schornstein geflogen kam.

5 Frau Bergmann. Da mußt du Ina fragen. Ha, das mußt du Ina fragen, liebes Herz! Ina sagt dir das ganz genau. Ina hat ja eine ganze halbe Stunde mit ihm gesprochen.

Wendla. Ich werde Ina fragen, wenn ich hinunterkomme.

Frau Bergmann. Aber ja nicht vergessen, du süßes

10 Engelsgeschöpf! Es interessiert mich wirklich selbst, zu wissen, ob er durchs Fenster oder durch den Schornstein kam.

Wendla. Oder soll ich nicht lieber den Schornsteinfeger fragen? – Der Schornsteinfeger muß es doch am besten wissen, ob er durch den Schornstein fliegt oder nicht.

15 Frau Bergmann. Nicht den Schornsteinfeger, Kind; nicht den Schornsteinfeger. Was weiß der Schornsteinfeger vom Storch! – Der schwatzt dir allerhand dummes Zeug vor, an das er selbst nicht glaubt ... Wa–was glotzt du so auf die Straße hinunter??

20 Wendla. Ein Mann, Mutter – dreimal so groß wie ein Ochse! – mit Füßen wie Dampfschiffe ...!

Frau Bergmann *(ans Fenster stürzend)*. Nicht möglich! – Nicht möglich! –

Wendla *(zugleich)*. Eine Bettlade hält er unterm Kinn, fie-
25 delt die Wacht am Rhein drauf – – eben biegt er um die Ecke ...

Frau Bergmann. Du bist und bleibst doch ein Kindskopf! – Deine alte einfältige Mutter so in Schrecken jagen! – Geh, nimm deinen Hut. Nimmt mich wunder, wann bei
30 dir einmal der Verstand kommt. – Ich habe die Hoffnung aufgegeben.

Wendla. Ich auch, Mütterchen, ich auch. – Um meinen Verstand ist es ein traurig Ding. – Hab ich nun eine Schwester, die ist seit zwei und einem halben Jahre verheiratet,
35 und ich selber bin zum dritten Male Tante geworden, und habe gar keinen Begriff, wie das alles zugeht ... Nicht böse werden, Mütterchen; nicht böse werden! Wen in der Welt soll ich denn fragen als dich! Bitte, liebe Mutter, sag es mir! Sag's mir, geliebtes Mütterchen! Ich schäme mich
40 vor mir selber. Ich bitte dich, Mutter, sprich! Schilt mich

nicht, daß ich so etwas frage. Gib mir Antwort – wie geht es zu? – wie kommt das alles? – Du kannst doch im Ernst nicht verlangen, daß ich bei meinen vierzehn Jahren noch an den Storch glaube.

Frau Bergmann. Aber du großer Gott, Kind, wie bist du sonderbar! – Was du für Einfälle hast! – Das kann ich ja doch wahrhaftig nicht!

Wendla. Warum denn nicht, Mutter! – Warum denn nicht! – Es kann ja doch nichts Häßliches sein, wenn sich alles darüber freut!

Frau Bergmann. O – o Gott behüte mich! – Ich verdiente ja ... Geh, zieh dich an, Mädchen; zieh dich an!

Wendla. Ich gehe ... Und wenn dein Kind nun hingeht und fragt den Schornsteinfeger?

Frau Bergmann. Aber das ist ja zum Närrischwerden! – Komm, Kind, komm her, ich sage es dir! Ich sage dir alles ... O du grundgütige Allmacht! – nur heute nicht, Wendla! – Morgen, übermorgen, kommende Woche ... wann du nur immer willst, liebes Herz ...

Wendla. Sag es mir heute, Mutter; sag es mir jetzt! Jetzt gleich! – Nun ich dich so entsetzt gesehen, kann ich erst recht nicht eher wieder ruhig werden.

Frau Bergmann. Ich kann nicht, Wendla.

Wendla. Oh, warum kannst du nicht, Mütterchen! – Hier knie ich zu deinen Füßen und lege dir meinen Kopf in den Schoß. Du deckst mir deine Schürze über den Kopf und erzählst und erzählst, als wärst du mutterseelenallein im Zimmer. Ich will nicht zucken; ich will nicht schreien; ich will geduldig ausharren, was immer kommen mag.

Frau Bergmann. Der Himmel weiß, Wendla, daß ich nicht die Schuld trage! Der Himmel kennt mich! – Komm in Gottes Namen! – Ich will dir erzählen, Mädchen, wie du in diese Welt hineingekommen. – So hör mich an, Wendla ...

Wendla *(unter ihrer Schürze)*. Ich höre.

Frau Bergmann *(ekstatisch)*. Aber es geht ja nicht, Kind! – Ich kann es ja nicht verantworten. – Ich verdiene ja, daß man mich ins Gefängnis setzt – daß man dich von mir nimmt ...

Wendla *(unter ihrer Schürze)*. Faß dir ein Herz, Mutter!

Frau Bergmann. So höre denn ...!
Wendla *(unter ihrer Schürze, zitternd).* O Gott, o Gott!
Frau Bergmann. Um ein Kind zu bekommen – du verstehst mich, Wendla?
5 Wendla. Rasch, Mutter – ich halt's nicht mehr aus.
Frau Bergmann. Um ein Kind zu bekommen – muß man den Mann – mit dem man verheiratet ist ... *lieben – lieben* sag ich dir – wie man nur einen Mann lieben kann! Man muß ihn so sehr *von ganzem Herzen* lieben, wie – wie
10 sich's nicht sagen läßt! Man muß ihn *lieben*, Wendla, wie du in deinen Jahren noch gar nicht lieben kannst ... Jetzt weißt du's.
Wendla *(sich erhebend).* Großer – Gott – im Himmel!
Frau Bergmann. Jetzt weißt du, welche Prüfungen dir
15 bevorstehen!
Wendla. Und das ist alles?
Frau Bergmann. So wahr mir Gott helfe! – – Nimm nun den Korb da und geh zu Ina hinunter. Du bekommst dort Schokolade und Kuchen dazu. – Komm, laß dich noch
20 einmal betrachten – die Schnürstiefel, die seidenen Handschuhe, die Matrosentaille, die Rosen im Haar ... dein Röckchen wird dir aber wahrhaftig nachgerade zu kurz, Wendla!
Wendla. Hast du für Mittag schon Fleisch gebracht, Müt-
25 terchen?
Frau Bergmann. Der liebe Gott behüte dich und segne dich! – Ich werde dir gelegentlich eine Handbreit Volants unten ansetzen.

DRITTE SZENE

30 Hänschen Rilow *(ein Licht in der Hand, verriegelt die Tür hinter sich und öffnet den Deckel).* Hast du zu Nacht gebetet, Desdemona? *(Er zieht eine Reproduktion der Venus von Palma Vecchio aus dem Busen.)* – Du siehst mir nicht nach Vaterunser aus, Holde – kontemplativ des Kom-
35 menden gewärtig, wie in dem süßen Augenblick aufkeimender Glückseligkeit, als ich dich bei Jonathan Schlesinger im Schaufenster liegen sah – ebenso berückend noch diese

geschmeidigen Glieder, diese sanfte Wölbung der Hüften, diese jugendlich straffen Brüste – oh, wie berauscht von Glück muß der große Meister gewesen sein, als das vierzehnjährige Original vor seinen Blicken hingestreckt auf dem Diwan lag!
Wirst du mich auch bisweilen im Traum besuchen? – Mit ausgebreiteten Armen empfang ich dich und will dich küssen, daß dir der Atem ausgeht. Du ziehst bei mir ein wie die angestammte Herrin in ihr verödetes Schloß. Tor und Türen öffnen sich von unsichtbarer Hand, während der Springquell unten im Parke fröhlich zu plätschern beginnt ...
Die Sache will's! – Die Sache will's! – Daß ich nicht aus frivoler Regung morde, sagt dir das fürchterliche Pochen in meiner Brust. Die Kehle schnürt sich mir zu im Gedanken an meine einsamen Nächte. Ich schwöre dir bei meiner Seele, Kind, daß nicht Überdruß mich beherrscht. Wer wollte sich rühmen, deiner überdrüssig geworden zu sein!
Aber du saugst mir das Mark aus den Knochen, du krümmst mir den Rücken, du raubst meinen jungen Augen den letzten Glanz. – Du bist mir zu anspruchsvoll in deiner unmenschlichen Bescheidenheit, zu aufreibend mit deinen unbeweglichen Gliedmaßen! – Du oder ich! – Und ich habe den Sieg davongetragen.
Wenn ich sie herzählen wollte – all die Entschlafenen, mit denen ich hier den nämlichen Kampf gekämpft! –: Psyche von *Thumann* – noch ein Vermächtnis der spindeldürren Mademoiselle *Angelique*, dieser Klapperschlange im Paradies meiner Kinderjahre; Io von *Correggio*; Galathea von *Lossow*; dann ein Amor von *Bouguereau*; Ada von *J. van Beers* – diese Ada, die ich Papa aus einem Geheimfach seines Sekretärs entführen mußte, um sie meinem Harem einzuverleiben; eine zitternde, zuckende Leda von *Makart*, die ich zufällig unter den Kollegienheften meines Bruders fand – *sieben*, du blühende Todeskandidatin, sind dir vorangeeilt auf diesem Pfad in den Tartarus! Laß dir das zum Troste gereichen und suche nicht durch diese flehentlichen Blicke noch meine Qualen ins Ungeheure zu steigern.
Du stirbst nicht um *deiner*, du stirbst um *meiner* Sünden

willen! – Aus Notwehr gegen mich begehe ich blutenden Herzens den siebenten Gattenmord. Es liegt etwas Tragisches in der Rolle des *Blaubart.* Ich glaube, seine gemordeten Frauen insgesamt litten nicht so viel wie er beim Er-
5 würgen jeder einzelnen.
Aber mein Gewissen wird ruhiger werden, mein Leib wird sich kräftigen, wenn du Teufelin nicht mehr in den rotseidenen Polstern meines Schmuckkästchens residierst. Statt deiner lasse ich dann die Lurlei von *Bodenhausen* oder die
10 Verlassene von *Linger* oder die Loni von *Defregger* in das üppige Lustgemach einziehen – so werde ich mich um so rascher erholt haben! Noch ein Vierteljährchen vielleicht, und dein entschleiertes Josaphat, süße Seele, hätte an meimem armen Hirn zu zehren begonnen wie die Sonne am
15 Butterkloß. Es war hohe Zeit, die Trennung von Tisch und Bett zu erwirken.
Brr, ich fühle einen Heliogabalus in mir! Moritura me salutat! – Mädchen, Mädchen, warum preßt du deine Knie zusammen? – warum auch jetzt noch? – – angesichts der
20 unerforschlichen Ewigkeit?? – *Eine* Zuckung, und ich gebe dich frei! – *Eine* weibliche Regung, *ein* Zeichen von Lüsternheit, von Sympathie, Mädchen! – ich will dich in Gold rahmen lassen, dich über meinem Bett aufhängen! – Ahnst du denn nicht, daß nur deine *Keuschheit* meine Aus-
25 schweifungen gebiert? – Wehe, wehe über die Unmenschlichen!
... Man merkt eben immer, daß sie eine musterhafte Erziehung genossen hat. – *Mir geht es ja ebenso.*
Hast du zu Nacht gebetet, Desdemona?
30 Das Herz krampft sich mir zusammen – – Unsinn! – Auch die heilige *Agnes* starb um ihrer Zurückhaltung willen und war nicht halb so nackt wie du! – Einen Kuß noch auf deinen blühenden Leib, deine kindlich schwellende Brust – deine süßgerundeten – deine grausamen Knie ...
35 Die Sache will's, die Sache will's, mein Herz!
Laßt sie mich euch nicht nennen, keusche Sterne!
Die Sache will's! – *(Das Bild fällt in die Tiefe; er schließt den Deckel.)*

VIERTE SZENE

Ein Heuboden. – Melchior liegt auf dem Rücken im frischen Heu. Wendla kommt die Leiter herauf.

Wendla. *Hier* hast du dich verkrochen? – Alles sucht dich. Der Wagen ist wieder hinaus. Du mußt helfen. Es ist ein Gewitter im Anzug. 5

Melchior. Weg von mir! – Weg von mir!

Wendla. Was ist dir denn? – Was verbirgst du dein Gesicht?

Melchior. Fort, fort! – Ich werfe dich die Tenne hinunter. 10

Wendla. Nun geh ich erst recht nicht. – *(Kniet neben ihm nieder.)* Warum kommst du nicht mit auf die Matte hinaus, Melchior? – Hier ist es schwül und düster. Werden wir auch naß bis auf die Haut, was macht *uns* das!

Melchior. Das Heu duftet so herrlich. – Der Himmel 15 draußen muß schwarz wie ein Bahrtuch sein. – Ich sehe nur noch den leuchtenden Mohn an deiner Brust – und dein Herz hör ich schlagen –

Wendla. – – Nicht küssen, Melchior! – Nicht küssen!

Melchior. – Dein Herz – hör ich schlagen – 20

Wendla. – Man liebt sich – wenn man küßt – – – – – Nicht, nicht! – –

Melchior. O glaub mir, es gibt keine *Liebe*! – Alles Eigennutz, alles Egoismus! – Ich liebe dich so wenig, wie du mich liebst. – 25

Wendla. – Nicht! – – – Nicht, Melchior! – –

Melchior. – – – Wendla!

Wendla. O Melchior! – – – – – – – – – nicht – – nicht – –

FÜNFTE SZENE

Frau Gabor *(sitzt, schreibt).* 30

Lieber Herr Stiefel!

Nachdem ich 24 Stunden über alles, was Sie mir schreiben, nachgedacht und wieder nachgedacht, ergreife ich schweren Herzens die Feder. Den Betrag zur Überfahrt nach Amerika kann ich Ihnen – ich gebe Ihnen meine heiligste Ver- 35 sicherung – *nicht* verschaffen. Erstens habe ich so viel nicht

zu meiner Verfügung, und zweitens, wenn ich es hätte, wäre es die denkbar größte Sünde, Ihnen die Mittel zur Ausführung einer so folgenschweren Unbedachtsamkeit an die Hand zu geben. Bitter Unrecht würden Sie mir tun, Herr Stiefel, in dieser Weigerung ein Zeichen mangelnder Liebe zu erblicken. Es wäre umgekehrt die gröbste Verletzung meiner Pflicht als mütterliche Freundin, wollte ich mich durch Ihre momentane Fassungslosigkeit dazu bestimmen lassen, nun auch meinerseits den Kopf zu verlieren und meinen ersten nächstliegenden Impulsen blindlings nachzugeben. Ich bin gern bereit – falls Sie es wünschen – an Ihre Eltern zu schreiben. Ich werde Ihre Eltern davon zu überzeugen suchen, daß Sie im Laufe dieses Quartals getan haben, was Sie tun konnten, daß Sie Ihre Kräfte erschöpft, derart, daß eine rigorose Beurteilung Ihres Geschickes nicht nur ungerechtfertigt wäre, sondern in erster Linie im höchsten Grade nachteilig auf Ihren geistigen und körperlichen Gesundheitszustand wirken könnte.
Daß Sie mir andeutungsweise drohen, im Fall Ihnen die Flucht nicht ermöglicht wird, sich das Leben nehmen zu wollen, hat mich, offen gesagt, Herr Stiefel, etwas befremdet. Sei ein Unglück noch so unverschuldet, man sollte sich nie und nimmer zur Wahl unlauterer Mittel hinreißen lassen. Die Art und Weise, wie Sie mich, die ich Ihnen stets nur Gutes erwiesen, für einen eventuellen entsetzlichen Frevel Ihrerseits verantwortlich machen wollen, hat etwas, das in den Augen eines *schlecht*denkenden Menschen gar zu leicht zum Erpressungsversuch werden könnte. Ich muß gestehen, daß ich mir dieses Vorgehens von Ihnen, der Sie doch sonst so gut wissen, was man sich selber schuldet, zu allerletzt gewärtig gewesen wäre. Indessen hege ich die feste Überzeugung, daß Sie noch zu sehr unter dem Eindruck des ersten Schreckens standen, um sich Ihrer Handlungsweise vollkommen bewußt werden zu können.
Und so hoffe ich denn auch zuversichtlich, daß diese meine Worte Sie bereits in gefaßterer Gemütsstimmung antreffen. Nehmen Sie die Sache, wie sie liegt. Es ist meiner Ansicht nach durchaus unzulässig, einen jungen Mann nach seinen Schulzeugnissen zu beurteilen. Wir haben zu viele Beispiele,

daß sehr schlechte Schüler vorzügliche Menschen geworden und umgekehrt ausgezeichnete Schüler sich im Leben nicht sonderlich bewährt haben. Auf jeden Fall gebe ich Ihnen die Versicherung, daß Ihr Mißgeschick, soweit das von mir abhängt, in Ihrem Verkehr mit *Melchior* nichts ändern soll. Es wird mir stets zur Freude gereichen, meinen Sohn mit einem jungen Manne umgehn zu sehn, der sich, mag ihn nun die Welt beurteilen wie sie will, auch meine vollste Sympathie zu gewinnen vermochte.

Und somit Kopf hoch, Herr Stiefel! – Solche Krisen dieser oder jener Art treten an jeden von uns heran und wollen eben überstanden sein. Wollte da ein jeder gleich zu Dolch und Gift greifen, es möchte recht bald keine Menschen mehr auf der Welt geben. Lassen Sie bald wieder etwas von sich hören und seien Sie herzlich gegrüßt von Ihrer Ihnen unverändert zugetanen

mütterlichen Freundin Fanny G.

SECHSTE SZENE

Bergmanns Garten im Morgensonnenglanz.

Wendla. Warum hast du dich aus der Stube geschlichen? – Veilchen suchen! – Weil mich Mutter lächeln sieht. – Warum bringst du auch die Lippen nicht mehr zusammen? – Ich weiß nicht. – Ich weiß es ja nicht, ich finde nicht Worte ...

Der Weg ist wie ein Plüschteppich – kein Steinchen, kein Dorn. – Meine Füße berühren den Boden nicht ... Oh, wie ich die Nacht geschlummert habe!

Hier standen sie. – Mir wird ernsthaft wie einer Nonne beim Abendmahl. – Süße Veilchen! – Ruhig, Mütterchen. Ich will mein Bußgewand anziehn. – Ach Gott, wenn jemand käme, dem ich um den Hals fallen und erzählen könnte!

SIEBENTE SZENE

Abenddämmerung. Der Himmel ist leicht bewölkt, der Weg schlängelt sich durch niedres Gebüsch und Riedgras. In einiger Entfernung hört man den Fluß rauschen.

5 Moritz. Besser ist besser. – Ich passe nicht hinein. Mögen sie einander auf die Köpfe steigen. – Ich ziehe die Tür hinter mir zu und trete ins Freie. – Ich gebe nicht so viel darum, mich herumdrücken zu lassen.
Ich habe mich nicht aufgedrängt. Was soll ich mich jetzt
10 aufdrängen! – Ich habe keinen Vertrag mit dem lieben Gott. Mag man die Sache drehen, wie man sie drehen will. Man hat mich gepreßt. – Meine Eltern mache ich nicht verantwortlich. Immerhin mußten sie auf das Schlimmste gefaßt sein. Sie waren alt genug, um zu wissen, was sie taten.
15 Ich war ein Säugling, als ich zur Welt kam – sonst wäre ich wohl auch noch so schlau gewesen, ein anderer zu werden. – Was soll ich dafür büßen, daß alle andern schon da waren!
Ich müßte ja auf den Kopf gefallen sein ... macht mir je-
20 mand einen tollen Hund zum Geschenk, dann gebe ich ihm seinen tollen Hund zurück. Und will er seinen tollen Hund nicht zurücknehmen, dann bin ich menschlich und ...
Ich müßte ja auf den Kopf gefallen sein!
Man wird ganz per Zufall geboren und sollte nicht nach
25 reiflichster Überlegung – – – es ist zum Totschießen! – Das Wetter zeigte sich wenigstens rücksichtsvoll. Den ganzen Tag sah es nach Regen aus, und nun hat es sich doch gehalten. – Es herrscht eine seltene Ruhe in der Natur. Nirgends etwas Grelles, Aufreizendes. Himmel und Erde sind
30 wie durchsichtiges Spinnewebe. Und dabei scheint sich alles so wohl zu fühlen. Die Landschaft ist lieblich wie eine Schlummermelodie – *»schlafe, mein Prinzchen, schlaf ein«*, wie Fräulein *Snandulia* sang. Schade, daß sie die Ellbogen ungraziös hält! – Am Cäcilienfest habe ich zum letzten
35 Male getanzt. *Snandulia* tanzt nur mit Partien. Ihre Seidenrobe war hinten und vorn ausgeschnitten. Hinten bis auf den Taillengürtel und vorne bis zur Bewußtlosigkeit. – Ein Hemd kann sie nicht angehabt haben ...
– –

– Das wäre etwas, was mich noch fesseln könnte. – Mehr der Kuriosität halber. – Es muß ein sonderbares Empfinden sein – – ein Gefühl, als würde man über Stromschnellen gerissen – – – Ich werde es niemandem sagen, daß ich unverrichteter Sache wiederkehre. Ich werde so tun, als hätte ich alles das mitgemacht ... Es hat etwas Beschämendes, Mensch gewesen zu sein, ohne das Menschlichste kennengelernt zu haben. – Sie kommen aus *Ägypten*, verehrter Herr, und haben die *Pyramiden* nicht gesehn?!
Ich will heute nicht wieder weinen. Ich will nicht wieder an mein Begräbnis denken – – *Melchior* wird mir einen Kranz auf den Sarg legen. Pastor *Kahlbauch* wird meine Eltern trösten. Rektor *Sonnenstich* wird Beispiele aus der Geschichte zitieren. – Einen Grabstein werd ich wahrscheinlich nicht bekommen. Ich hätte mir eine schneeweiße Marmorurne auf schwarzem Syenitsockel gewünscht – ich werde sie ja gottlob nicht vermissen. Die Denkmäler sind für die Lebenden, nicht für die Toten.
Ich brauchte wohl ein Jahr, um in Gedanken von allen Abschied zu nehmen. Ich will nicht wieder weinen. Ich bin froh, ohne Bitterkeit zurückblicken zu dürfen. Wie manchen schönen Abend ich mit *Melchior* verlebt habe! – unter den Uferweiden; beim Forsthaus; am Heerweg draußen, wo die fünf Linden stehen; auf dem Schloßberg, zwischen den lauschigen Trümmern der Runenburg. – – – Wenn die Stunde gekommen, will ich aus Leibeskräften an Schlagsahne denken. Schlagsahne hält nicht auf. Sie stopft und hinterläßt dabei doch einen angenehmen Nachgeschmack ... Auch die Menschen hatte ich mir unendlich schlimmer gedacht. Ich habe keinen gefunden, der nicht sein Bestes gewollt hätte. Ich habe manchen bemitleidet um meinetwillen.
Ich wandle zum Altar wie der Jüngling im alten Etrurien, dessen letztes Röcheln der Brüder Wohlergehen für das kommende Jahr erkauft. – Ich durchkoste Zug für Zug die geheimnisvollen Schauer der Loslösung. Ich schluchze vor Wehmut über mein Los. – – Das Leben hat mir die kalte Schulter gezeigt. Von drüben her sehe ich ernste freundliche Blicke winken: die kopflose Königin, die kopflose Königin – Mitgefühl, mich mit weichen Armen erwar-

tend ... Eure Gebote gelten für Unmündige; ich trage mein Freibillett in mir. Sinkt die Schale, dann flattert der Falter davon; das Trugbild geniert nicht mehr. – Ihr solltet kein tolles Spiel mit dem Schwindel treiben! Der Nebel zerrinnt; das Leben ist Geschmacksache.

Ilse *(in abgerissenen Kleidern, ein buntes Tuch um den Kopf, faßt ihn von rückwärts an der Schulter).* Was hast du verloren?

Moritz. Ilse?!

Ilse. Was suchst du hier?

Moritz. Was erschreckst du mich so?

Ilse. Was suchst du? – Was hast du verloren?

Moritz. Was erschreckst du mich denn so entsetzlich?

Ilse. Ich komme aus der Stadt. Ich gehe nach Hause.

Moritz. Ich weiß nicht, was ich verloren habe.

Ilse. Dann hilft auch dein Suchen nichts.

Moritz. Sakerment, Sakerment!!

Ilse. Seit vier Tagen bin ich nicht zu Hause gewesen.

Moritz. – Lautlos wie eine Katze!

Ilse. Weil ich meine Ballschuhe anhabe. – Mutter wird Augen machen! – Komm bis an unser Haus mit!

Moritz. Wo hast du wieder herumgestrolcht?

Ilse. In der *Priapia*!

Moritz. *Priapia!*

Ilse. Bei *Nohl*, bei *Fehrendorf*, bei *Padinsky*, bei *Lenz*, *Rank*, *Spühler* – bei allen möglichen! – Kling, kling – die wird springen!

Moritz. Malen sie dich?

Ilse. *Fehrendorf* malt mich als Säulenheilige. Ich stehe auf einem korinthischen Kapitäl. *Fehrendorf*, sag ich dir, ist eine verhauene Nudel. Das letzte Mal zertrat ich ihm eine Tube. Er wischt mir die Pinsel ins Haar. Ich versetze ihm eine Ohrfeige. Er wirft mir die Palette an den Kopf. Ich werfe die Staffelei um. Er mit dem Malstock hinter mir drein über Diwan, Tische, Stühle, ringsum durchs Atelier. Hinterm Ofen lag eine Skizze: Brav sein, oder ich zerreiße sie! – Er schwor Amnestie und hat mich dann schließlich noch schrecklich – schrecklich, sag ich dir – abgeküßt.

Moritz. Wo übernachtest du, wenn du in der Stadt bleibst?

Ilse. Gestern waren wir bei *Nohl* – vorgestern bei *Bojoke*-

witsch – am Sonntag bei *Oikonomopulos*. Bei *Padinsky* gab's Sekt. *Valabregez* hatte seinen Pestkranken verkauft. *Adolar* trank aus dem Aschenbecher. *Lenz* sang die *Kindesmörderin*, und *Adolar* schlug die Gitarre krumm. Ich war so betrunken, daß sie mich zu Bett bringen mußten. – – Du gehst immer noch zur Schule, Moritz?

Moritz. Nein, nein ... dieses Quartal nehme ich meine Entlassung.

Ilse. Du hast recht. Ach, wie die Zeit vergeht, wenn man Geld verdient! – Weißt du noch, wie wir *Räuber* spielten? – *Wendla Bergmann* und du und ich und die andern, wenn ihr abends herauskamt und kuhwarme Ziegenmilch bei uns trankt? – Was macht *Wendla*? Ich sah sie noch bei der Überschwemmung. – Was macht *Melchi Gabor*? – Schaut er noch so tiefsinnig drein? – In der Singstunde standen wir einander gegenüber.

Moritz. Er philosophiert.

Ilse. *Wendla* war derweil bei uns und hat der Mutter Eingemachtes gebracht. Ich saß den Tag bei Isidor Landauer. Er braucht mich zur heiligen Maria, Mutter Gottes, mit dem Christuskind. Er ist ein Tropf und widerlich. Hu, wie ein Wetterhahn! – Hast du Katzenjammer?

Moritz. Von gestern abend! – Wir haben wie Nilpferde gezecht. Um fünf Uhr wankt' ich nach Hause.

Ilse. Man braucht dich nur anzusehen. – Waren auch Mädchen dabei?

Moritz. Arabella, die Biernymphe, Andalusierin! – Der Wirt ließ uns alle die ganze Nacht durch mit ihr allein ...

Ilse. Man braucht dich nur anzusehn, Moritz! – Ich kenne keinen Katzenjammer. Vergangenen Karneval kam ich drei Tage und drei Nächte in kein Bett und nicht aus den Kleidern. Von der Redoute ins Café, mittags in Bellavista, abends Tingl-Tangl, nachts zur Redoute. *Lena* war dabei und die dicke *Viola*. – In der dritten Nacht fand mich *Heinrich*.

Moritz. Hatte er dich denn gesucht?

Ilse. Er war über meinen Arm gestolpert. Ich lag bewußtlos im Straßenschnee. – Darauf kam ich zu ihm hin. Vierzehn Tage verließ ich seine Behausung nicht – eine greuliche Zeit! – Morgens mußte ich seinen persischen Schlafrock überwerfen und abends in schwarzem Pagenkostüm durchs Zimmer gehn; an Hals, an Knien und Ärmeln weiße Spitzenaufschläge. Täglich photographierte er mich in anderem Arrangement – einmal auf der Sofalehne als Ariadne, einmal als Leda, einmal als Ganymed, einmal auf allen vieren als weiblichen Nebuchod-Nosor. Dabei schwärmte er von Umbringen, von Erschießen, Selbstmord und Kohlendampf. Frühmorgens nahm er eine Pistole ins Bett, lud sie voll Spitzkugeln und setzte sie mir auf die Brust: Ein Zwinkern, so drück ich! – Oh, er hätte gedrückt, Moritz; er hätte gedrückt! – Dann nahm er das Dings in den Mund wie ein Pustrohr. Das wecke den Selbsterhaltungstrieb. Und dann – brrrr – die Kugel wäre mir durchs Rückgrat gegangen.

Moritz. Lebt *Heinrich* noch?

Ilse. Was weiß ich! – Über dem Bett war ein Deckenspiegel im Plafond eingelassen. Das Kabinett schien turmhoch und hell wie ein Opernhaus. Man sah sich leibhaftig vom Himmel herunterhängen. Grauenvoll habe ich die Nächte geträumt. – Gott, o Gott, wenn es erst wieder Tag würde! – Gute Nacht, Ilse. Wenn du schläfst, bist du zum Morden schön!

Moritz. Lebt dieser *Heinrich* noch?

Ilse. So Gott will, nicht! – Wie er eines Tages Absinth holt, werfe ich den Mantel um und schleiche mich auf die Straße. Der Fasching war aus; die Polizei fängt mich ab; was ich in Mannskleidern wolle? – Sie brachten mich zur Hauptwache. Da kamen *Nohl*, *Fehrendorf*, *Padinsky*, *Spühler*, *Oikonomopulos*, die ganze *Priapia*, und bürgten für mich. Im Fiaker transportierten sie mich auf *Adolars* Atelier. Seither bin ich der Horde treu. *Fehrendorf* ist ein Affe, *Nohl* ist ein Schwein. *Bojokewitsch* ein Uhu, *Loison* eine Hyäne, *Oikonomopulos* ein Kamel – darum lieb ich sie doch, einen wie den andern und möchte mich an sonst niemand hängen, und wenn die Welt voll Erzengel und Millionäre wär!

Moritz. – Ich muß zurück, Ilse.

Ilse. Komm bis an unser Haus mit!

Moritz. – Wozu? – Wozu? –

Ilse. Kuhwarme Ziegenmilch trinken! – Ich will dir Locken

brennen und dir ein Glöcklein um den Hals hängen. – Wir haben auch noch ein Hü-Pferdchen, mit dem du spielen kannst.

Moritz. Ich muß zurück. – Ich habe noch die Sassaniden, die Bergpredigt und das Parallelepipedon auf dem Gewissen – Gute Nacht, Ilse!

Ilse. Schlummre süß! ... Geht ihr wohl noch zum *Wigwam* hinunter, wo Melchi Gabor meinen Tomahawk begrub? – Brrr! Bis es an euch kommt, lieg ich im Kehricht. *(Eilt davon.)*

Moritz *(allein)*. – – – Ein Wort hätte es gekostet. – *(Er ruft.)* – Ilse! – Ilse! – – Gottlob, sie hört nicht mehr.
– Ich bin in der Stimmung nicht. – Dazu bedarf es eines freien Kopfes und eines fröhlichen Herzens. – Schade, schade um die Gelegenheit!
... ich werde sagen, ich hätte mächtige Kristallspiegel über meinen Betten gehabt – hätte mir ein unbändiges Füllen gezogen – hätte es in langen schwarzseidenen Strümpfen und schwarzen Lackstiefeln und schwarzen, langen Glacé-Handschuhen, schwarzen Samt um den Hals, über den Teppich an mir vorbeistolzieren lassen – hätte es in einem Wahnsinnsanfall in meinem Kissen erwürgt ... ich werde lächeln, wenn von Wollust die Rede ist ... ich werde – *Aufschreien! – Aufschreien! – Du sein, Ilse! – Priapia!! – Besinnungslosigkeit! – Das nimmt die Kraft mir! – Dieses Glückskind, dieses Sonnenkind – dieses Freudenmädchen auf meinem Jammerweg! – – Oh! – Oh!*

– –

(Im Ufergebüsch.)

Hab ich sie doch unwillkürlich wiedergefunden – die Rasenbank. Die Königskerzen scheinen gewachsen seit gestern. Der Ausblick zwischen den Weiden durch ist derselbe noch. – Der Fluß zieht schwer wie geschmolzenes Blei. – Daß ich nicht vergesse ... *(Er zieht Frau Gabors Brief aus der Tasche und verbrennt ihn.)* – Wie die Funken irren – hin und her, kreuz und quer – Seelen! – Sternschnuppen! –
Eh' ich angezündet, sah man die Gräser noch und einen Streifen am Horizont. – Jetzt ist es dunkel geworden. Jetzt gehe ich nicht mehr nach Hause.

DRITTER AKT

ERSTE SZENE

Konferenzzimmer. – An den Wänden die Bildnisse von Pestalozzi und J. J. Rousseau. Um einen grünen Tisch, über dem mehrere Gasflammen brennen, sitzen die Professoren Affenschmalz, Knüppeldick, Hungergurt, Knochenbruch, Zungenschlag und Fliegentod. Am oberen Ende auf erhöhtem Sessel Rektor Sonnenstich. Pedell Habebald kauert neben der Tür.

Sonnenstich. ... Sollte einer der Herren noch etwas zu bemerken haben? – – Meine Herren! – Wenn wir nicht umhin können, bei einem hohen Kultusministerium die Relegation unseres schuldbeladenen Schülers zu beantragen, so können wir das aus den schwerwiegendsten Gründen nicht. Wir können es nicht, um das bereits hereingebrochene Unglück zu sühnen, wir können es ebensowenig, um unsere Anstalt für die Zukunft vor ähnlichen Schlägen sicherzustellen. Wir können es nicht, um unseren schuldbeladenen Schüler für den demoralisierenden Einfluß, den er auf seinen Klassengenossen ausgeübt, zu züchtigen; wir können es zu allerletzt, um ihn zu verhindern, den nämlichen Einfluß auf seine übrigen Klassengenossen auszuüben. Wir können es – und der, meine Herren, möchte der schwerwiegendste sein – aus dem jeden Einwand niederschlagenden Grunde nicht, weil wir unsere Anstalt vor den Verheerungen einer Selbstmordepidemie zu schützen haben, wie sie bereits an verschiedenen Gymnasien zum Ausbruch gelangt und bis heute allen Mitteln, den Gymnasiasten an seine durch seine Heranbildung zum Gebildeten gebildeten Existenzbedingungen zu fesseln, gespottet hat. – – Sollte einer der Herren noch etwas zu bemerken haben?

Knüppeldick. Ich kann mich nicht länger der Überzeugung verschließen, daß es endlich an der Zeit wäre, irgendwo ein Fenster zu öffnen.

Zungenschlag. Es he-herrscht hier eine A-A-Atmosphäre wie in unterirdischen Kata-Katakomben, wie in den A-Aktensälen des weiland Wetzlarer Ka-Ka-Ka-Ka-Kammergerichtes.

Sonnenstich. Habebald!
Habebald. Befehlen, Herr Rektor!
Sonnenstich. Öffnen Sie ein Fenster! Wir haben Gott sei Dank Atmosphäre genug draußen. – Sollte einer der Herren noch etwas zu bemerken haben? 5
Fliegentod. Wenn meine Herren Kollegen ein Fenster öffnen lassen wollen, so habe ich meinerseits nichts dagegen einzuwenden. Nur möchte ich bitten, das Fenster nicht gerade hinter meinem Rücken öffnen lassen zu wollen!
Sonnenstich. Habebald! 10
Habebald. Befehlen, Herr Rektor!
Sonnenstich. Öffnen Sie das andere Fenster! – – Sollte einer der Herren noch etwas zu bemerken haben?
Hungergurt. Ohne die Kontroverse meinerseits belasten zu wollen, möchte ich an die Tatsache erinnern, daß das 15 andere Fenster seit den Herbstferien zugemauert ist.
Sonnenstich. Habebald!
Habebald. Befehlen, Herr Rektor!
Sonnenstich. Lassen Sie das andere Fenster geschlossen! – Ich sehe mich genötigt, meine Herren, den Antrag zur Ab- 20 stimmung zu bringen. Ich ersuche diejenigen Herren Kollegen, die dafür sind, daß das einzig in Frage kommen könnende Fenster geöffnet werde, sich von ihren Sitzen zu erheben. *(Er zählt.)* – Eins, zwei, drei. – Eins, zwei, drei. – Habebald! 25
Habebald. Befehlen, Herr Rektor!
Sonnenstich. Lassen Sie das eine Fenster gleichfalls geschlossen! – Ich meinerseits hege die Überzeugung, daß die Atmosphäre nichts zu wünschen übrigläßt! – – Sollte einer der Herren noch etwas zu bemerken haben? – – Meine 30 Herren! – Setzen wir den Fall, daß wir die Relegation unseres schuldbeladenen Schülers bei einem hohen Kultusministerium zu beantragen unterlassen, so wird *uns* ein hohes Kultusministerium für das hereingebrochene Unglück verantwortlich machen. Von den verschiedenen von der 35 Selbstmord-Epidemie heimgesuchten Gymnasien sind diejenigen, in denen fünfundzwanzig Prozent den Verheerungen zum Opfer gefallen, von einem hohen Kultusministerium suspendiert worden. Vor diesem erschütterndsten Schlage unsere Anstalt zu bewahren, ist unsere Pflicht als 40

Hüter und Bewahrer unserer Anstalt. Es schmerzt uns tief, meine Herren Kollegen, daß wir die sonstige Qualifikation unseres schuldbeladenen Schülers als mildernden Umstand gelten zu lassen nicht in der Lage sind. Ein nachsichtiges Verfahren, das sich unserem schuldbeladenen Schüler gegenüber rechtfertigen ließe, ließe sich der zur Zeit in denkbar bedenklichster Weise gefährdeten Existenz unserer Anstalt gegenüber *nicht* rechtfertigen. Wir sehen uns in die Notwendigkeit versetzt, den Schuldbeladenen zu richten, um nicht als die Schuldlosen gerichtet zu werden. – Habebald!

Habebald. Befehlen, Herr Rektor!

Sonnenstich. Führen Sie ihn herauf!

(Habebald ab.)

Zungenschlag. Wenn die he-herrschende A-A-Atmosphäre maßgebenderseits wenig oder nichts zu wünschen übrigläßt, so möchte ich den Antrag stellen, während der So-Sommerferien auch noch das andere Fenster zu-zu-zu-zu-zu-zu-zu-zu-zuzumauern!

Fliegentod. Wenn unserem lieben Kollega Zungenschlag unser Lokal nicht genügend ventiliert erscheint, so möchte ich den Antrag stellen, unserm lieben Herrn Kollega Zungenschlag einen Ventilator in die Stirnhöhle applizieren zu lassen.

Zungenschlag. Da-da-das brauche ich mir nicht gefallen zu lassen! – Gro-Grobheiten brauche ich mir nicht gefallen zu lassen! – Ich bin meiner fü-fü-fü-fü-fünf Sinne mächtig . . .!

Sonnenstich. Ich muß unsere Herren Kollegen Fliegentod und Zungenschlag um einigen Anstand ersuchen. Unser schuldbeladener Schüler scheint mir bereits auf der Treppe zu sein.

(Habebald öffnet die Türe, worauf Melchior, bleich, aber gefaßt, vor die Versammlung tritt.)

Sonnenstich. Treten Sie näher an den Tisch heran! – Nachdem Herr Rentier Stiefel von dem ruchlosen Frevel seines Sohnes Kenntnis erhalten, durchsuchte der fassungslose Vater, in der Hoffnung, auf diesem Wege möglicherweise dem Anlaß der verabscheuungswürdigen Untat auf die Spur zu kommen, die hinterlassenen Effekten seines

Sohnes Moritz und stieß dabei an einem nicht zur Sache gehörigen Orte auf ein Schriftstück, welches uns, ohne noch die verabscheuungswürdige Untat an sich verständlich zu machen, für die dabei maßgebend gewesene moralische Zerrüttung des Untäters eine leider nur allzu ausreichende 5 Erklärung liefert. Es handelt sich um eine in Gesprächsform abgefaßte, *»Der Beischlaf«* betitelte, mit lebensgroßen Abbildungen versehene, von den schamlosesten Unflätereien strotzende, zwanzig Seiten lange Abhandlung, die den geschraubtesten Anforderungen, die ein verworfener 10 Lüstling an eine unzüchtige Lektüre zu stellen vermöchte, entsprechen dürfte. –

Melchior. Ich habe ...

Sonnenstich. Sie haben sich ruhig zu verhalten! – Nachdem Herr Rentier Stiefel uns fragliches Schriftstück aus- 15 gehändigt und wir dem fassungslosen Vater das Versprechen erteilt, um jeden Preis den Autor zu ermitteln, wurde die uns vorliegende Handschrift mit den Handschriften sämtlicher Mitschüler des weiland Ruchlosen verglichen und ergab nach dem einstimmigen Urteil der gesamten 20 Lehrerschaft sowie in vollkommenem Einklang mit dem Spezial-Gutachten unseres geschätzten Herrn Kollegen für Kalligraphie die denkbar bedenklichste Ähnlichkeit mit der *Ihrigen*. –

Melchior. Ich habe ... 25

Sonnenstich. Sie haben sich ruhig zu verhalten! – Ungeachtet der erdrückenden Tatsache der von seiten unantastbarer Autoritäten anerkannten Ähnlichkeit glauben wir uns vorderhand noch jeder weiteren Maßnahmen enthalten zu dürfen, um in erster Linie den Schuldigen über das 30 ihm demgemäß zur Last fallende Vergehen wider die Sittlichkeit in Verbindung mit daraus resultierender Veranlassung zur Selbstentleibung ausführlich zu vernehmen. –

Melchior. Ich habe ...

Sonnenstich. Sie haben die genau präzisierten Fragen, 35 die ich Ihnen der Reihe nach vorlege, eine um die andere, mit einem schlichten und bescheidenen »Ja« oder »Nein« zu beantworten. – Habebald!

Habebald. Befehlen, Herr Rektor!

Sonnenstich. Die Akten! – – Ich ersuche unseren Schrift- 40

führer, Herrn Kollega Fliegentod, von nun an möglichst wortgetreu zu protokollieren. – *(Zu Melchior.)* Kennen Sie dieses Schriftstück?

Melchior. Ja.

5 Sonnenstich. Wissen Sie, was dieses Schriftstück enthält?

Melchior. Ja.

Sonnenstich. Ist die Schrift dieses Schriftstücks die Ihrige?

Melchior. Ja.

Sonnenstich. Verdankt dieses unflätige Schriftstück Ihnen 10 seine Abfassung?

Melchior. Ja. – Ich ersuche Sie, Herr Rektor, mir *eine* Unflätigkeit darin nachzuweisen.

Sonnenstich. Sie haben die genau präzisierten Fragen, die ich Ihnen vorlege, mit einem schlichten und bescheide- 15 nen »Ja« oder »Nein« zu beantworten!

Melchior. Ich habe nicht mehr und nicht weniger geschrieben, als was eine Ihnen sehr wohlbekannte Tatsache ist!

Sonnenstich. Dieser Schandbube!!

Melchior. Ich ersuche Sie, mir einen Verstoß gegen die 20 Sittlichkeit in der Schrift zu zeigen!

Sonnenstich. Bilden Sie sich ein, ich hätte Lust, zu Ihrem Hanswurst an Ihnen zu werden?! – Habebald ...!

Melchior. Ich habe ...

Sonnenstich. Sie haben so wenig Ehrerbietung vor der 25 Würde Ihrer versammelten Lehrerschaft, wie Sie Anstandsgefühl für das dem Menschen eingewurzelte Empfinden für die Diskretion der Verschämtheit einer sittlichen Weltordnung haben! – Habebald!!

Habebald. Befehlen, Herr Rektor!

30 Sonnenstich. Es ist ja der *Langenscheidt* zur dreistündigen Erlernung des agglutinierenden Volapük!

Melchior. Ich habe ...

Sonnenstich. Ich ersuche unseren Schriftführer, Herrn Kollega Fliegentod, das Protokoll zu schließen!

35 Melchior. Ich habe ...

Sonnenstich. Sie haben sich ruhig zu verhalten!! – Habebald!

Habebald. Befehlen, Herr Rektor!

Sonnenstich. Führen Sie ihn hinunter!

ZWEITE SZENE

Friedhof in strömendem Regen. – Vor einem offenen Grabe steht Pastor Kahlbauch, den aufgespannten Schirm in der Hand. Zu seiner Rechten Rentier Stiefel, dessen Freund Ziegenmelker und Onkel Probst. Zur Linken Rektor Sonnenstich mit Professor Knochenbruch. Gymnasiasten schließen den Kreis. In einiger Entfernung vor einem halbverfallenen Grabmonument Martha und Ilse.

Pastor Kahlbauch. ... Denn wer die Gnade, mit der der ewige Vater den in Sünden Geborenen gesegnet, von sich wies, er wird des *geistigen* Todes sterben! – Wer aber in eigenwilliger fleischlicher Verleugnung der Gott gebührenden Ehre dem Bösen gelebt und gedient, er wird des *leiblichen* Todes sterben! – Wer jedoch das Kreuz, das der Allerbarmer ihm um der Sünde willen auferlegt, freventlich von sich geworfen, wahrlich, wahrlich, ich sage euch, der wird des *ewigen* Todes sterben! – *(Er wirft eine Schaufel voll Erde in die Gruft.)* – Uns aber, die wir fort und fort wallen den Dornenpfad, lasset den Herrn, den allgütigen, preisen und ihm danken für seine unerforschliche Gnadenwahl. Denn so wahr *dieser* eines *dreifachen* Todes starb, so wahr wird Gott der Herr den Gerechten einführen zur Seligkeit und zum ewigen Leben. – Amen.

Rentier Stiefel *(mit tränenerstickter Stimme, wirft eine Schaufel voll Erde in die Gruft).* Der Junge war nicht von mir! – Der Junge war nicht von mir! Der Junge hat mir von klein auf nicht gefallen!

Rektor Sonnenstich *(wirft eine Schaufel voll Erde in die Gruft).* Der Selbstmord als der denkbar bedenklichste Verstoß gegen die sittliche Weltordnung ist der denkbar bedenklichste Beweis *für* die sittliche Weltordnung, indem der Selbstmörder der sittlichen Weltordnung den Urteilsspruch zu sprechen erspart und ihr Bestehen bestätigt.

Professor Knochenbruch *(wirft eine Schaufel voll Erde in die Gruft).* Verbummelt – versumpft – verhurt – verlumpt – und verludert!

Onkel Probst *(wirft eine Schaufel voll Erde in die Gruft).* Meiner eigenen Mutter hätte ich's nicht geglaubt, daß ein

Kind so niederträchtig an seinen Eltern zu handeln vermöchte!

Freund Ziegenmelker *(wirft eine Schaufel voll Erde in die Gruft).* An einem Vater zu handeln vermöchte, der
5 nun seit zwanzig Jahren von früh bis spät keinen Gedanken mehr hegt als das Wohl seines Kindes!

Pastor Kahlbauch *(Rentier Stiefel die Hand drückend).* Wir wissen, daß denen, die Gott lieben, alle Dinge zum Besten dienen. 1. Korinth. 12, 15. – Denken Sie der trost-
10 losen Mutter, und suchen Sie ihr das Verlorene durch verdoppelte Liebe zu ersetzen!

Rektor Sonnenstich *(Rentier Stiefel die Hand drükkend).* Wir hätten ihn ja wahrscheinlich doch nicht promovieren können!

15 Professor Knochenbruch *(Rentier Stiefel die Hand drückend).* Und wenn wir ihn promoviert hätten, im nächsten Frühling wäre er des allerbestimmtesten sitzengeblieben!

Onkel Probst *(Rentier Stiefel die Hand drückend).* Jetzt
20 hast du vor allem die Pflicht, an dich zu denken. Du bist Familienvater ...!

Freund Ziegenmelker *(Rentier Stiefel die Hand drükkend).* Vertraue dich meiner Führung! – Ein Hundewetter, daß einem die Därme schlottern! – Wer da nicht unver-
25 züglich mit einem Grog eingreift, hat seine Herzklappenaffektion weg!

Rentier Stiefel *(sich die Nase schneuzend).* Der Junge war nicht von mir ... der Junge war nicht von mir ...

(Rentier Stiefel, geleitet von Pastor Kahlbauch, Rektor Son-
30 *nenstich, Professor Knochenbruch, Onkel Probst und Freund Ziegenmelker, ab. Der Regen läßt nach.)*

Hänschen Rilow *(wirft eine Schaufel voll Erde in die Gruft).* Ruhe in Frieden, du ehrliche Haut! – Grüße mir meine ewigen Bräute hingeopferten Angedenkens, und
35 empfiehl mich ganz ergebenst zu Gnaden dem lieben Gott – armer Tolpatsch du! – Sie werden dir um deiner Engelseinfalt willen noch eine Vogelscheuche aufs Grab setzen ...

Georg. Hat sich die Pistole gefunden?

Robert. Man braucht keine Pistole zu suchen!

Ernst. Hast du ihn gesehen, Robert?
Robert. Verfluchter, verdammter Schwindel! – Wer hat ihn gesehen? – Wer denn?!
Otto. Da steckt's nämlich! – Man hatte ihm ein Tuch übergeworfen. 5
Georg. Hing die Zunge heraus?
Robert. Die Augen! – Deshalb hatte man das Tuch drübergeworfen.
Otto. Grauenhaft!
Hänschen Rilow. Weißt du bestimmt, daß er sich erhängt hat? 10
Ernst. Man sagt, er habe gar keinen Kopf mehr.
Otto. Unsinn! – Gewäsch!
Robert. Ich habe ja den Strick in Händen gehabt! – Ich habe noch keinen Erhängten gesehen, den man nicht zugedeckt hätte. 15
Georg. Auf gemeinere Art hätte er sich nicht empfehlen können!
Hänschen Rilow. Was Teufel, das Erhängen soll ganz hübsch sein! 20
Otto. Mir ist er nämlich noch fünf Mark schuldig. Wir hatten gewettet. Er schwor, er werde sich halten.
Hänschen Rilow. Du bist schuld, daß er daliegt. Du hast ihn Prahlhans genannt.
Otto. Papperlapapp, ich muß auch büffeln die Nächte durch. 25 Hätte er die griechische Literaturgeschichte gelernt, er hätte sich nicht zu erhängen brauchen!
Ernst. Hast du den Aufsatz, Otto?
Otto. Erst die Einleitung.
Ernst. Ich weiß gar nicht, was schreiben. 30
Georg. Warst du denn nicht da, als uns Affenschmalz die Disposition gab?
Hänschen Rilow. Ich stopsle mir was aus dem *Demokrit* zusammen.
Ernst. Ich will sehen, ob sich im *Kleinen Meyer* was finden 35 läßt.
Otto. Hast du den Vergil schon auf morgen? – – –
(Die Gymnasiasten ab. – Martha und Ilse kommen ans Grab.)
Ilse. Rasch, rasch! – Dort hinten kommen die Totengräber.
Martha. Wollen wir nicht lieber warten, Ilse? 40

Ilse. Wozu? – Wir bringen neue. Immer neue und neue! – Es wachsen genug.
Martha. Du hast recht, Ilse! – *(Sie wirft einen Efeukranz in die Gruft. Ilse öffnet ihre Schürze und läßt eine Fülle frischer Anemonen auf den Sarg regnen.)*
Martha. Ich grabe unsere Rosen aus. Schläge bekomme ich ja doch! – Hier werden sie gedeihen.
Ilse. Ich will sie begießen, sooft ich vorbeikomme. Ich hole Vergißmeinnicht vom Goldbach herüber, und Schwertlilien bringe ich von Hause mit.
Martha. Es soll eine Pracht werden! Eine Pracht!
Ilse. Ich war schon über der Brücke drüben, da hört' ich den Knall.
Martha. Armes Herz!
Ilse. Und ich weiß auch den Grund, Martha.
Martha. Hat er dir was gesagt?
Ilse. Parallelepipedon! Aber sag es niemandem.
Martha. Meine Hand darauf.
Ilse. – Hier ist die Pistole.
Martha. Deshalb hat man sie nicht gefunden!
Ilse. Ich nahm sie ihm gleich aus der Hand, als ich am Morgen vorbeikam.
Martha. Schenk sie mir, Ilse! – Bitte, schenk sie mir!
Ilse. Nein, die behalt ich zum Andenken.
Martha. Ist's wahr, Ilse, daß er ohne Kopf drinliegt?
Ilse. Er muß sie mit Wasser geladen haben! – Die Königskerzen waren über und über mit Blut besprengt. Sein Hirn hing in den Weiden umher.

DRITTE SZENE

Herr und Frau Gabor.

Frau Gabor. ... Man hatte einen Sündenbock nötig. Man durfte die überall lautwerdenden Anschuldigungen nicht auf sich beruhen lassen. Und nun mein Kind das Unglück gehabt, den Zöpfen im richtigen Moment in den Schuß zu laufen, nun soll ich, die eigene Mutter, das Werk seiner Henker vollenden helfen? – Bewahre mich Gott davor!
Herr Gabor. – Ich habe deine geistvolle Erziehungsme-

thode vierzehn Jahre schweigend mit angesehn. Sie widersprach meinen Begriffen. Ich hatte von jeher der Überzeugung gelebt, ein Kind sei kein Spielzeug; ein Kind habe Anspruch auf unsern heiligen Ernst. Aber ich sagte mir, wenn der Geist und die Grazie des einen die ernsten Grundsätze eines andern zu ersetzen imstande sind, so mögen sie den ernsten Grundsätzen vorzuziehen sein. – – Ich mache dir keinen Vorwurf, Fanny. Aber vertritt mir den Weg nicht, wenn ich dein und mein Unrecht an dem Jungen gutzumachen suche!

Frau Gabor. Ich vertrete dir den Weg, solange ein Tropfen warmen Blutes in mir wallt! In der Korrektionsanstalt ist mein Kind verloren. Eine Verbrechernatur mag sich in solchen Instituten bessern lassen. Ich weiß es nicht. Ein gutgearteter Mensch wird so gewiß zum Verbrecher darin, wie die Pflanze verkommt, der du Luft und Sonne entziehst. Ich bin mir keines Unrechtes bewußt. Ich danke heute wie immer dem Himmel, daß er mir den Weg gezeigt, in meinem Kinde einen rechtlichen Charakter und eine edle Denkungsweise zu wecken. Was hat er denn so Schreckliches getan? Es soll mir nicht einfallen, ihn entschuldigen zu wollen – daran, daß man ihn aus der Schule gejagt, trägt er keine Schuld. Und wäre es sein Verschulden, so hat er es ja gebüßt. Du magst das alles besser wissen. Du magst theoretisch vollkommen im Rechte sein. Aber ich kann mir mein einziges Kind nicht gewaltsam in den Tod jagen lassen!

Herr Gabor. Das hängt nicht von uns ab, Fanny. – Das ist ein Risiko, das wir mit unserm Glück auf uns genommen. Wer zu schwach für den Marsch ist, bleibt am Wege. Und es ist schließlich das Schlimmste nicht, wenn das Unausbleibliche zeitig kommt. Möge uns der Himmel davor behüten! Unsere Pflicht ist es, den Wankenden zu festigen, solange die Vernunft Mittel weiß. – Daß man ihn aus der Schule gejagt, ist nicht seine Schuld. Wenn man ihn *nicht* aus der Schule gejagt hätte, es wäre auch seine Schuld nicht! – Du bist zu leichtherzig. Du erblickst vorwitzige Tändelei, wo es sich um Grundschäden des Charakters handelt. Ihr Frauen seid nicht berufen, über solche Dinge zu urteilen. Wer *das* schreiben kann, was Melchior schreibt,

der muß im innersten Kern seines Wesens angefault sein. Das Mark ist ergriffen. Eine halbwegs gesunde Natur läßt sich zu so etwas nicht herbei. Wir sind alle keine Heiligen; jeder von uns irrt vom schnurgeraden Pfad ab. Seine
5 Schrift hingegen vertritt das *Prinzip*. Seine Schrift entspricht keinem zufälligen gelegentlichen Fehltritt; sie dokumentiert mit schaudererregender Deutlichkeit den aufrichtig gehegten *Vorsatz*, jene natürliche Veranlagung, jenen Hang zum *Unmoralischen*, weil es das Unmoralische
10 ist. Seine Schrift manifestiert jene exzeptionelle geistige Korruption, die wir Juristen mit dem Ausdruck *»moralischer Irrsinn«* bezeichnen. – Ob sich gegen seinen Zustand etwas ausrichten läßt, vermag ich nicht zu sagen. *Wenn* wir uns einen Hoffnungsschimmer bewahren wollen, und in
15 erster Linie unser fleckenloses Gewissen als die Eltern des Betreffenden, so ist es Zeit für uns, mit Entschiedenheit und mit allem Ernste ans Werk zu gehen. – Laß uns nicht länger streiten, Fanny! Ich fühle, wie schwer es dir wird. Ich weiß, daß du ihn vergötterst, weil er so ganz deinem
20 genialischen Naturell entspricht. Sei stärker als du! Zeig dich deinem Sohne gegenüber endlich einmal selbstlos!

Frau Gabor. Hilf mir Gott, wie läßt sich dagegen aufkommen! – Man muß ein *Mann* sein, um so sprechen zu können! Man muß ein *Mann* sein, um sich so vom toten
25 Buchstaben verblenden lassen zu können! Man muß ein *Mann* sein, um so blind das in die Augen Springende nicht zu sehn! – Ich habe gewissenhaft und besonnen an Melchior gehandelt vom ersten Tag an, da ich ihn für die Eindrücke seiner Umgebung empfänglich fand. Sind wir denn für den
30 *Zufall* verantwortlich?! Dir kann morgen ein Dachziegel auf den Kopf fallen, und dann kommt dein Freund – dein Vater, und statt deine Wunde zu pflegen, setzt er den Fuß auf dich! – Ich lasse mein Kind nicht vor meinen Augen hinmorden. Dafür bin ich seine Mutter. – Es ist unfaßbar!
35 Es ist gar nicht zu glauben! Was schreibt er denn in aller Welt! Ist's denn nicht der eklatanteste Beweis für seine Harmlosigkeit, für seine Dummheit, für seine kindliche Unberührtheit, daß er so etwas schreiben kann! – Man muß keine Ahnung von Menschenkenntnis besitzen – man
40 muß ein vollständig entseelter Bürokrat oder ganz nur Be-

schränktheit sein, um hier moralische Korruption zu wittern! – – Sag, was du willst. Wenn du Melchior in die Korrektionsanstalt bringst, dann sind *wir* geschieden! Und dann laß mich sehen, ob ich nicht irgendwo in der Welt Hilfe und Mittel finde, mein Kind seinem Untergange zu entreißen.

Herr Gabor. Du wirst dich drein schicken müssen – wenn nicht heute, dann morgen. Leicht wird es keinem, mit dem Unglück zu diskontieren. Ich werde dir zur Seite stehen und, wenn dein Mut zu erliegen droht, keine Mühe und kein Opfer scheuen, dir das Herz zu entlasten. Ich sehe die Zukunft so grau, so wolkig – es fehlte nur noch, daß auch du mir noch verlorengingst.

Frau Gabor. Ich sehe ihn nicht wieder; ich sehe ihn nicht wieder. Er erträgt das Gemeine nicht. Er findet sich nicht ab mit dem Schmutz. Er zerbricht den Zwang; das entsetzlichste Beispiel schwebt ihm vor Augen! – Und sehe ich ihn wieder – Gott, Gott, dieses frühlingsfrohe Herz – sein helles Lachen – alles, alles – seine kindliche Entschlossenheit, mutig zu kämpfen für Gut und Recht – o dieser Morgenhimmel, wie ich ihn licht und rein in seiner Seele gehegt als mein höchstes Gut ... Halte dich an *mich*, wenn das Unrecht um Sühne schreit! Halte dich an mich! Verfahre mit mir, wie du willst! *Ich* trage die Schuld. – Aber laß deine fürchterliche Hand von dem Kind weg.

Herr Gabor. Er hat sich vergangen!

Frau Gabor. *Er hat sich nicht vergangen!*

Herr Gabor. Er *hat* sich vergangen! – – – Ich hätte alles darum gegeben, es deiner grenzenlosen Liebe ersparen zu dürfen. – – Heute morgen kommt eine Frau zu mir, vergeistert, kaum ihrer Sprache mächtig, mit *diesem* Brief in der Hand – einem Brief an ihre fünfzehnjährige Tochter. Aus dummer Neugierde habe sie ihn erbrochen; das Mädchen war nicht zu Haus. – In dem Briefe erklärte Melchior dem fünfzehnjährigen Kind, daß ihm seine Handlungsweise keine Ruhe lasse, er habe sich an ihr versündigt usw. usw., werde indessen natürlich für alles einstehen. Sie möge sich nicht grämen, auch wenn sie Folgen spüre. Er sei bereits auf dem Wege, Hilfe zu schaffen; seine Relegation erleichtere ihm das. Der ehemalige Fehltritt könne noch zu ihrem Glücke führen – und was des unsinnigen Gewäsches mehr ist.

Frau Gabor. Unmöglich!

Herr Gabor. Der Brief ist gefälscht. Es liegt Betrug vor.
5 Man sucht seine stadtbekannte Relegation nutzbar zu machen. Ich habe mit dem Jungen noch nicht gesprochen – aber sieh bitte die Hand! Sieh die Schreibweise!

Frau Gabor. Ein unerhörtes, schamloses Bubenstück!

Herr Gabor. Das fürchte ich!

10 Frau Gabor. Nein, nein – nie und nimmer!

Herr Gabor. Um so besser wird es für uns sein. – Die Frau fragt mich händeringend, was sie tun solle. Ich sagte ihr, sie solle ihre fünfzehnjährige Tochter nicht auf Heuböden herumklettern lassen. Den Brief hat sie mir glück-
15 licherweise dagelassen. – Schicken wir Melchior nun auf ein anderes Gymnasium, wo er nicht einmal unter elterlicher Aufsicht steht, so haben wir in drei Wochen den nämlichen Fall – neue Relegation – sein frühlingsfreudiges Herz gewöhnt sich nachgerade daran. – Sag mir, Fanny, wo soll
20 ich hin mit dem Jungen?!

Frau Gabor. – In die Korrektionsanstalt –

Herr Gabor. In die ...?

Frau Gabor. ... Korrektionsanstalt!

Herr Gabor. Er findet dort in erster Linie, was ihm zu
25 Hause ungerechterweise vorenthalten wurde: eherne Disziplin, Grundsätze und einen moralischen Zwang, dem er sich unter allen Umständen zu fügen hat. – Im übrigen ist die Korrektionsanstalt nicht der Ort des Schreckens, den du dir darunter denkst. Das Hauptgewicht legt man in der
30 Anstalt auf Entwicklung einer christlichen Denk- und Empfindungsweise. Der Junge lernt dort endlich das *Gute* wollen statt des *Interessanten* und bei seinen Handlungen nicht sein Naturell, sondern das *Gesetz* in Frage ziehen. – – Vor einer halben Stunde erhalte ich ein Telegramm von
35 meinem Bruder, das mir die Aussagen der Frau bestätigt. Melchior hat sich ihm anvertraut und ihn um 200 Mark zur Flucht nach England gebeten ...

Frau Gabor *(bedeckt ihr Gesicht)*. Barmherziger Himmel!

VIERTE SZENE

Korrektionsanstalt. – Ein Korridor. – Diethelm, Reinhold, Ruprecht, Helmuth, Gaston und Melchior.

Diethelm. Hier ist ein Zwanzigpfennigstück!
Reinhold. Was soll's damit? 5
Diethelm. Ich lege es auf den Boden. Ihr stellt euch drum herum. Wer es trifft, der hat's.
Ruprecht. Machst du nicht mit, Melchior?
Melchior. Nein, ich danke.
Helmuth. Der Joseph! 10
Gaston. Er kann nicht mehr. Er ist zur Rekreation hier.
Melchior *(für sich)*. Es ist nicht klug, daß ich mich separiere. Alles hält mich im Auge. Ich muß mitmachen – oder die Kreatur geht zum Teufel. – – Die Gefangenschaft macht sie zu Selbstmördern. – – Brech ich den Hals, ist es gut! 15 Komme ich davon, ist es auch gut! Ich kann nur gewinnen. – Ruprecht wird mein Freund, er besitzt hier Kenntnisse. – Ich werde ihm die Kapitel von Judas Schnur Thamar, von Moab, von Loth und seiner Sippe, von der Königin Basti und der Abisag von Sunem zum besten 20 geben. – Er hat die verunglückteste Physiognomie auf der Abteilung.
Ruprecht. Ich hab's!
Helmuth. Ich komme noch!
Gaston. Übermorgen vielleicht! 25
Helmuth. Gleich! – Jetzt! – O Gott, o Gott ...
Alle. Summa – summa cum laude!!
Ruprecht *(das Stück nehmend)*. Danke schön!
Helmuth. Her, du Hund!
Ruprecht. Du Schweinetier? 30
Helmuth. Galgenvogel!!
Ruprecht *(schlägt ihn ins Gesicht)*. Da! *(Rennt davon.)*
Helmuth *(ihm nachrennend)*. Den schlag ich tot!
Die übrigen *(rennen hinterdrein)*. Hetz, Packan! Hetz! Hetz! Hetz! 35
Melchior *(allein, gegen das Fenster gewandt)*. – Da geht der Blitzableiter hinunter. – Man muß ein Taschentuch drumwickeln. – Wenn ich an *sie* denke, schießt mir immer das Blut in den Kopf. Und Moritz liegt mir wie Blei in

den Füßen. – – – Ich gehe zur Redaktion. Bezahlen Sie mich per Hundert; ich kolportiere! – sammle Tagesneuigkeiten – schreibe – lokal – – ethisch – – psychophysisch ... man verhungert nicht mehr so leicht. Volksküche, Café
5 Temperence. – Das Haus ist sechzig Fuß hoch, und der Verputz bröckelt ab ... Sie haßt mich – sie haßt mich, weil ich sie der Freiheit beraubt. Handle ich, wie ich will, es bleibt Vergewaltigung. – Ich darf einzig hoffen, im Laufe der Jahre allmählich ... Über acht Tage ist Neumond. Morgen
10 schmiere ich die Angeln. Bis Sonnabend muß ich unter allen Umständen wissen, wer den Schlüssel hat. – Sonntag abend in der Andacht kataleptischer Anfall – will's Gott, wird sonst niemand krank! – Alles liegt so klar, als wär es geschehen, vor mir. Über das Fenstergesims gelang ich mit
15 Leichtigkeit – ein Schwung – ein Griff – aber man muß ein Taschentuch drumwickeln. – – Da kommt der Großinquisitor. *(Ab nach links.)*

(Dr. Prokrustes mit einem Schlossermeister von rechts.)

Dr. Prokrustes. ... Die Fenster liegen zwar im dritten
20 Stock und unten sind Brennesseln gepflanzt. Aber was kümmert sich die Entartung um Brennesseln. – Vergangenen Winter stieg uns einer zur Dachluke hinaus und wir hatten die ganze Schererei mit dem Abholen, Hinbringen und Beisetzen ...

25 Der Schlossermeister. Wünschen Sie die Gitter aus Schmiedeeisen?

Dr. Prokrustes. Aus Schmiedeeisen – und, da man sie nicht einlassen kann, vernietet.

FÜNFTE SZENE

30 *Ein Schlafgemach. – Frau Bergmann, Ina Müller und Medizinalrat Dr. v. Brausepulver. – Wendla im Bett.*

Dr. von Brausepulver. Wie alt sind Sie denn eigentlich?

Wendla. Vierzehneinhalb.

35 Dr. von Brausepulver. Ich verordne die *Blaud*schen Pillen seit fünfzehn Jahren und habe in einer großen An-

zahl von Fällen die eklatantesten Erfolge beobachtet. Ich ziehe sie dem Lebertran und den Stahlweinen vor. Beginnen Sie mit drei bis vier Pillen pro Tag, und steigern Sie, so rasch Sie es eben vertragen. Dem Fräulein Elfriede Baronesse von Witzleben hatte ich verordnet, jeden dritten Tag um eine Pille zu steigern. Die Baronesse hatte mich mißverstanden und steigerte jeden Tag um drei Pillen. Nach kaum drei Wochen schon konnte sich die Baronesse mit ihrer Frau Mama zur Nachkur nach Pyrmont begeben. – Von ermüdenden Spaziergängen und Extramahlzeiten dispensiere ich Sie. Dafür versprechen Sie mir, liebes Kind, sich um so fleißiger Bewegung machen zu wollen und ungeniert Nahrung zu fordern, sobald sich die Lust dazu wieder einstellt. Dann werden diese Herzbeklemmungen bald nachlassen – und der Kopfschmerz, das Frösteln, der Schwindel – und unsere schrecklichen Verdauungsstörungen. Fräulein Elfriede Baronesse von Witzleben genoß schon acht Tage nach begonnener Kur ein ganzes Brathühnchen mit jungen Pellkartoffeln zum Frühstück.

Frau Bergmann. Darf ich Ihnen ein Glas Wein anbieten, Herr Medizinalrat?

Dr. von Brausepulver. Ich danke Ihnen, liebe Frau Bergmann. Mein Wagen wartet. Lassen Sie sich's nicht so zu Herzen gehen. In wenigen Wochen ist unsere liebe kleine Patientin wieder frisch und munter wie eine Gazelle. Seien Sie getrost. – Guten Tag, Frau Bergmann. Guten Tag, liebes Kind. Guten Tag, meine Damen. Guten Tag.

(Frau Bergmann geleitet ihn vor die Tür.)

Ina *(am Fenster)*. – Nun färbt sich eure Platane schon wieder bunt. – Siehst du's vom Bett aus? – Eine kurze Pracht, kaum recht der Freude wert, wie man sie so kommen und gehen sieht. – Ich muß nun auch bald gehen. Müller erwartet mich vor der Post, und ich muß zuvor noch zur Schneiderin. Mucki bekommt seine ersten Höschen, und Karl soll einen neuen Trikotanzug auf den Winter haben.

Wendla. Manchmal wird mir so selig – alles Freude und Sonnenglanz. Hätt' ich geahnt, daß es einem so wohl ums Herz werden kann! Ich möchte hinaus, im Abendschein über die Wiesen gehn, Himmelsschlüssel suchen den Fluß entlang und mich ans Ufer setzen und träumen ... Und

dann kommt das *Zahnweh*, und ich meine, daß ich morgen am Tag sterben muß; mir wird heiß und kalt, vor den Augen verdunkelt sich's, und dann flattert das Untier herein – – – Sooft ich aufwache, seh ich Mutter weinen. Oh,
5 das tut mir so weh – ich kann's dir nicht sagen, Ina!

Ina. Soll ich dir nicht das Kopfkissen höher legen?

Frau Bergmann *(kommt zurück)*. Er meint, das Erbrechen werde sich auch geben; und du sollst dann nur ruhig wieder aufstehn ... Ich glaube auch, es ist besser, wenn du
10 bald wieder aufstehst, Wendla.

Ina. Bis ich das nächste Mal vorspreche, springst du vielleicht schon wieder im Haus herum. – Leb wohl, Mutter. Ich muß durchaus noch zur Schneiderin. Behüt dich Gott, liebe Wendla. *(Küßt sie.)* Recht, recht baldige Besserung!

15 Wendla. Leb wohl, Ina. – Bring mir Himmelsschlüssel mit, wenn du wiederkommst. Adieu. Grüße deine Jungens von mir.

(Ina ab.)

Wendla. Was hat er noch gesagt, Mutter, als er draußen
20 war?

Frau Bergmann. Er hat nichts gesagt. – Er sagte, Fräulein von Witzleben habe auch zu Ohnmachten geneigt. Es sei das fast immer so bei der Bleichsucht.

Wendla. Hat er gesagt, Mutter, daß ich die Bleichsucht
25 habe?

Frau Bergmann. Du sollest Milch trinken und Fleisch und Gemüse essen, wenn der Appetit zurückgekehrt sei.

Wendla. O Mutter, Mutter, ich glaube, ich habe nicht die Bleichsucht ...

30 Frau Bergmann. Du hast die Bleichsucht, Kind. Sei ruhig, Wendla, sei ruhig; du hast die Bleichsucht.

Wendla. Nein, Mutter, nein! Ich weiß es. Ich fühl es. Ich habe nicht die Bleichsucht. Ich habe die Wassersucht ...

Frau Bergmann. Du hast die Bleichsucht. Er hat es ja ge-
35 sagt, daß du die Bleichsucht hast. Beruhige dich, Mädchen. Es wird besser werden.

Wendla. Es wird nicht besser werden. Ich habe die Wassersucht. Ich muß sterben, Mutter. – O Mutter, ich muß sterben!

40 Frau Bergmann. Du mußt nicht sterben, Kind! Du mußt

nicht sterben... Barmherziger Himmel, du mußt nicht sterben!

Wendla. Aber warum weinst du dann so jammervoll?

Frau Bergmann. Du mußt nicht sterben – Kind! Du hast nicht die Wassersucht. Du hast ein *Kind*, Mädchen! Du hast ein Kind! – Oh, warum hast du mir das getan!

Wendla. Ich habe dir nichts getan –

Frau Bergmann. O leugne nicht noch, Wendla! – Ich weiß alles. Sieh, ich hätt' es nicht vermocht, dir ein Wort zu sagen. – Wendla, meine Wendla ...!

Wendla. Aber das ist ja nicht möglich, Mutter. Ich bin ja doch nicht verheiratet ...!

Frau Bergmann. Großer, gewaltiger Gott –, das ist's ja, daß du nicht verheiratet bist! Das ist ja das Fürchterliche! – Wendla, Wendla, Wendla, was hast du getan!!

Wendla. Ich weiß es, weiß Gott, nicht mehr! Wir lagen im Heu ... Ich habe keinen Menschen auf dieser Welt geliebt als nur dich, dich, Mutter.

Frau Bergmann. Mein Herzblatt –

Wendla. O Mutter, warum hast du mir nicht alles gesagt!

Frau Bergmann. Kind, Kind, laß uns einander das Herz nicht noch schwerer machen! Fasse dich! Verzweifle mir nicht, mein Kind! Einem vierzehnjährigen Mädchen das sagen! Sieh, ich wäre eher darauf gefaßt gewesen, daß die Sonne erlischt. Ich habe an dir nicht anders getan, als meine liebe gute Mutter an mir getan hat. – O laß uns auf den lieben Gott vertrauen, Wendla; laß uns auf Barmherzigkeit hoffen, und das Unsrige tun! Sieh, *noch* ist ja nichts geschehen, Kind. Und wenn nur wir jetzt nicht kleinmütig werden, dann wird uns auch der liebe Gott nicht verlassen. – Sei *mutig*, Wendla, sei *mutig*! – – So sitzt man einmal am Fenster und legt die Hände in den Schoß, weil sich doch noch alles zum Guten gewandt, und da bricht's dann herein, daß einem gleich das Herz bersten möchte ... Wa – was zitterst du?

Wendla. Es hat jemand geklopft.

Frau Bergmann. Ich habe nichts gehört, liebes Herz. – *(Geht an die Tür und öffnet.)*

Wendla. Ach, ich hörte es ganz deutlich. – – Wer ist draußen?

Frau Bergmann. Niemand – – Schmidts Mutter aus der Gartenstraße. – – – Sie kommen eben recht, Mutter Schmidtin.

SECHSTE SZENE

Winzer und Winzerinnen im Weinberg. – Im Westen sinkt die Sonne hinter die Berggipfel. Helles Glockengeläute vom Tal herauf. – Hänschen Rilow und Ernst Röbel im höchstgelegenen Rebstück sich unter den überhängenden Felsen im welkenden Grase wälzend.

Ernst. Ich habe mich überarbeitet.

Hänschen. Laß uns nicht traurig sein! – Schade um die Minuten.

Ernst. Man sieht sie hängen und kann nicht mehr – und morgen sind sie gekeltert.

Hänschen. Ermüdung ist mir so unerträglich, wie mir's der Hunger ist.

Ernst. Ach, ich kann nicht mehr.

Hänschen. Diese leuchtende Muskateller noch!

Ernst. Ich bringe die Elastizität nicht mehr auf.

Hänschen. Wenn ich die Ranke beuge, baumelt sie uns von Mund zu Mund. Keiner braucht sich zu rühren. Wir beißen die Beeren ab und lassen den Kamm zum Stock zurückschnellen.

Ernst. Kaum entschließt man sich, und siehe, so dämmert auch schon die dahingeschwundene Kraft wieder auf.

Hänschen. Dazu das flammende Firmament – und die Abendglocken – Ich verspreche mir wenig mehr von der Zukunft.

Ernst. Ich sehe mich manchmal schon als hochwürdiger Pfarrer – ein gemütvolles Hausmütterchen, eine reichhaltige Bibliothek und Ämter und Würden in allen Kreisen. Sechs Tage hat man, um nachzudenken, und am siebenten tut man den Mund auf. Beim Spazierengehen reichen einem Schüler und Schülerinnen die Hand, und wenn man nach Hause kommt, dampft der Kaffee, der Topfkuchen wird aufgetragen, und durch die Gartentür bringen die Mädchen Äpfel herein. – Kannst du dir etwas Schöneres denken?

Hänschen. Ich denke mir halbgeschlossene Wimpern, halbgeöffnete Lippen und türkische Draperien. – Ich glaube nicht an das Pathos. Sieh, unsere Alten zeigen uns lange Gesichter, um ihre Dummheiten zu bemänteln. Untereinander nennen sie sich Schafsköpfe wie wir. Ich kenne das. – Wenn ich Millionär bin, werde ich dem lieben Gott ein Denkmal setzen. – Denke dir die Zukunft als Milchsette mit Zucker und Zimt. Der eine wirft sie um und heult, der andere rührt alles durcheinander und schwitzt. Warum nicht abschöpfen? – Oder glaubst du nicht, daß es sich lernen ließe?

Ernst. Schöpfen wir ab!

Hänschen. Was bleibt, fressen die Hühner. – Ich habe meinen Kopf nun schon aus so mancher Schlinge gezogen …

Ernst. Schöpfen wir ab, Hänschen! – Warum lachst du?

Hänschen. Fängst du schon wieder an?

Ernst. Einer muß ja doch anfangen.

Hänschen. Wenn wir in dreißig Jahren an einen Abend wie heute zurückdenken, erscheint er uns vielleicht unsagbar schön!

Ernst. Und wie macht sich jetzt alles so ganz von selbst!

Hänschen. Warum also nicht!

Ernst. Ist man zufällig allein – dann weint man vielleicht gar.

Hänschen. Laß uns nicht traurig sein! – *(Er küßt ihn auf den Mund.)*

Ernst *(küßt ihn)*. Ich ging von Hause fort mit dem Gedanken, dich nur eben zu sprechen und wieder umzukehren.

Hänschen. Ich erwartete dich. – Die Tugend kleidet nicht schlecht, aber es gehören imposante Figuren hinein.

Ernst. Uns schlottert sie noch um die Glieder. – Ich wäre nicht ruhig geworden, wenn ich dich nicht getroffen hätte. – Ich liebe dich, Hänschen, wie ich nie eine Seele geliebt habe …

Hänschen. Laß uns nicht traurig sein! – Wenn wir in dreißig Jahren zurückdenken, spotten wir ja vielleicht! – Und jetzt ist alles so schön! Die Berge glühen; die Trauben hängen uns in den Mund, und der Abendwind streicht an den Felsen hin wie ein spielendes Schmeichelkätzchen …

SIEBENTE SZENE

Helle Novembernacht. An Busch und Bäumen raschelt das dürre Laub. Zerrissene Wolken jagen unter dem Mond hin. – Melchior klettert über die Kirchhofmauer.

5 Melchior *(auf der Innenseite herabspringend).* Hierher folgt mir die Meute nicht. – Derweil sie Bordelle absuchen, kann ich aufatmen und mir sagen, wie weit ich bin ... Der Rock in Fetzen, die Taschen leer – vor dem Harmlosesten bin ich nicht sicher. – Tagsüber muß ich im Wald
10 weiterzukommen suchen ...
Ein Kreuz habe ich niedergestampft. – Die Blümchen wären heut noch erfroren! – Ringsum ist die Erde kahl ... Im Totenreich! –
Aus der Dachluke zu klettern, war so schwer nicht wie
15 dieser Weg! – Darauf nur war ich nicht gefaßt gewesen ...
Ich hänge über dem Abgrund – alles versunken, verschwunden – O wär' ich dort geblieben!
Warum sie um meinetwillen! – Warum nicht der Ver-
20 schuldete! – Unfaßbare Vorsehung! – Ich hätte Steine geklopft und gehungert ...!
Was hält mich noch aufrecht? – Verbrechen folgt auf Verbrechen. Ich bin dem Morast überantwortet. Nicht so viel Kraft mehr, um abzuschließen ...
25 Ich war nicht schlecht! – Ich war nicht schlecht! – Ich war nicht schlecht ...
– So neiderfüllt ist noch kein Sterblicher über Gräber gewandelt. – Pah – ich brächte ja den Mut nicht auf! – Oh, wenn mich Wahnsinn umfinge – in dieser Nacht noch!
30 Ich muß drüben unter den letzten suchen! – Der Wind pfeift auf jedem Stein aus einer anderen Tonart – eine beklemmende Symphonie! – Die morschen Kränze reißen entzwei und baumeln an ihren langen Fäden stückweise um die Marmorkreuze – ein Wald von Vogelscheuchen! –
35 Vogelscheuchen auf allen Gräbern, eine greulicher als die andere – haushohe, vor denen die Teufel Reißaus nehmen. – Die goldenen Lettern blinken so kalt ... Die Trauerweide ächzt auf und fährt mit Riesenfingern über die Inschrift ...

Ein betendes Engelskind – Eine Tafel –
Eine Wolke wirft ihren Schatten herab. – Wie das hastet und heult! – Wie ein Heereszug jagt es im Osten empor. – Kein Stern am Himmel –
Immergrün um das Gärtlein? – Immergrün? – – Mädchen ...

Und ich bin ihr Mörder. – Ich bin ihr Mörder! – Mir bleibt die Verzweiflung. – Ich darf hier nicht weinen. – Fort von hier! – Fort –

Moritz Stiefel *(seinen Kopf unter dem Arm, stapft über die Gräber her).* Einen Augenblick, Melchior! Die Gelegenheit wiederholt sich so bald nicht. Du ahnst nicht, was mit Ort und Stunde zusammenhängt ...

Melchior. Wo kommst du her?!

Moritz. Von drüben – von der Mauer her. Du hast mein Kreuz umgeworfen. Ich liege an der Mauer. – Gib mir die Hand, Melchior ...

Melchior. Du bist *nicht* Moritz Stiefel!

Moritz. Gib mir die Hand. Ich bin überzeugt, du wirst mir Dank wissen. So leicht wird's dir nicht mehr! Es ist ein seltsam glückliches Zusammentreffen. – Ich bin extra heraufgekommen ...

Melchior. Schläfst du denn nicht?
Moritz. Nicht, was ihr Schlafen nennt. – Wir sitzen auf Kirchtürmen, auf hohen Dachgiebeln – wo immer wir wollen ...
5 Melchior. Ruhelos?
Moritz. Vergnügungshalber. – Wir streifen um Maibäume, um einsame Waldkapellen. Über Volksversammlungen schweben wir hin, über Unglücksstätten, Gärten, Festplätze. – In den Wohnhäusern kauern wir im Kamin und
10 hinter den Bettvorhängen. – Gib mir die Hand. – Wir verkehren nicht untereinander, aber wir sehen und hören alles, was in der Welt vor sich geht. Wir wissen, daß alles Dummheit ist, was die Menschen tun und erstreben, und lachen darüber.
15 Melchior. Was hilft das?
Moritz. Was braucht es zu helfen? – Wir sind für nichts mehr erreichbar, nicht für Gutes noch Schlechtes. Wir stehen hoch, hoch über dem Irdischen – jeder für sich allein. Wir verkehren nicht miteinander, weil uns das zu lang-
20 weilig ist. Keiner von uns hegt noch etwas, das ihm abhanden kommen könnte. Über Jammer oder Jubel sind wir gleich unermeßlich erhaben. Wir sind mit uns zufrieden, und das ist alles! – Die Lebenden verachten wir unsagbar, kaum daß wir sie bemitleiden. Sie erheitern uns
25 mit ihrem Getue, weil sie als Lebende tatsächlich nicht zu bemitleiden sind. Wir lächeln bei ihren Tragödien – jeder für sich – und stellen unsere Betrachtungen an. – Gib mir die Hand! Wenn du mir die Hand gibst, fällst du um vor Lachen über dem Empfinden, mit dem du mir die Hand
30 gibst ...
Melchior. Ekelt dich das nicht an?
Moritz. Dazu stehen wir zu hoch. Wir lächeln! – An meinem Begräbnis war ich unter den Leidtragenden. Ich habe mich recht gut unterhalten. Das ist Erhabenheit, Mel-
35 chior! Ich habe geheult wie keiner, und schlich zur Mauer, um mir vor Lachen den Bauch zu halten. Unsere unnahbare Erhabenheit ist tatsächlich der einzige Gesichtspunkt, unter dem der Quark sich verdauen läßt ... Auch über mich will man gelacht haben, eh' ich mich aufschwang!
40 Melchior. Mich lüstet's nicht, über mich zu lachen.

Moritz. ... Die Lebenden sind als solche wahrhaftig nicht zu bemitleiden! – Ich gestehe, ich hätte es auch nie gedacht. Und jetzt ist es mir unfaßbar, wie man so naiv sein kann. Jetzt durchschaue ich den Trug so klar, daß auch nicht ein Wölkchen bleibt. – Wie magst du nur zaudern, Melchior! 5 Gib mir die Hand! Im Halsumdrehen stehst du himmelhoch über dir. – Dein Leben ist Unterlassungssünde ...

Melchior. – Könnt ihr vergessen?

Moritz. Wir können alles. Gib mir die Hand! Wir können die Jugend bedauern, wie sie ihre Bangigkeit für Idealis- 10 mus hält, und das Alter, wie ihm vor stoischer Überlegenheit das Herz brechen will. Wir sehen den Kaiser vor Gassenhauern und den Lazzaroni vor der jüngsten Posaune beben. Wir ignorieren die Maske des Komödianten und sehen den Dichter im Dunkeln die Maske vornehmen. 15 Wir erblicken den Zufriedenen in seiner Bettelhaftigkeit, im Mühseligen und Beladenen den Kapitalisten. Wir beobachten Verliebte und sehen sie voreinander erröten, ahnend, daß sie betrogene Betrüger sind. Eltern sehen wir Kinder in die Welt setzen, um ihnen zurufen zu können: 20 Wie glücklich ihr seid, solche Eltern zu haben! – und sehen die Kinder hingehn und desgleichen tun. Wir können die Unschuld in ihren einsamen Liebesnöten, die Fünfgroschendirne über der Lektüre Schillers belauschen ... Gott und den Teufel sehen wir sich voreinander blamieren und hegen 25 in uns das durch nichts zu erschütternde Bewußtsein, daß beide betrunken sind ... Eine Ruhe, eine Zufriedenheit, Melchior –! Du brauchst mir nur den kleinen Finger zu reichen. – Schneeweiß kannst du werden, eh' sich dir der Augenblick wieder so günstig zeigt! 30

Melchior. – Wenn ich einschlage, Moritz, so geschieht es aus Selbstverachtung. – Ich sehe mich geächtet. Was mir Mut verlieh, liegt im Grabe. Edler Regungen vermag ich mich nicht mehr für würdig zu halten – und erblicke nichts, nichts, das sich mir auf meinem Niedergang noch entgegen- 35 stellen sollte. – Ich bin mir die verabscheuungswürdigste Kreatur des Weltalls ...

Moritz. Was zauderst du ...?

(Ein vermummter Herr tritt auf.)

Der vermummte Herr *(zu Melchior)*. Du bebst ja vor 40

Hunger. Du bist gar nicht befähigt, zu urteilen. – *(Zu Moritz.)* Gehen Sie.

Melchior. Wer sind Sie?

Der vermummte Herr. Das wird sich weisen. – *(Zu Moritz.)* Verschwinden Sie! – Was haben Sie hier zu tun! – Warum haben Sie denn den Kopf nicht auf?

Moritz. Ich habe mich erschossen.

Der vermummte Herr. Dann bleiben Sie doch, wo Sie hingehören. Dann sind Sie ja vorbei. Belästigen Sie uns hier nicht mit Ihrem Grabgestank. Unbegreiflich – sehen Sie doch nur Ihre Finger an. Pfui Teufel noch mal! Das zerbröckelt schon.

Moritz. Schicken Sie mich bitte nicht fort ...

Melchior. Wer sind Sie, mein Herr??

Moritz. Schicken Sie mich nicht fort! Ich bitte Sie. Lassen Sie mich hier noch ein Weilchen teilnehmen; ich will Ihnen in *nichts* entgegensein. – – Es ist unten so schaurig.

Der vermummte Herr. Warum prahlen Sie denn dann mit *Erhabenheit*?! – Sie wissen doch, daß das Humbug ist – saure Trauben! Warum *lügen* Sie geflissentlich, Sie – Hirngespinst! – – Wenn Ihnen eine so schätzenswerte Wohltat damit geschieht, so bleiben Sie meinetwegen. Aber hüten Sie sich vor Windbeuteleien, lieber Freund – und lassen Sie mir bitte Ihre Leichenhand aus dem Spiel!

Melchior. Sagen Sie mir endlich, wer Sie sind, oder nicht?!

Der vermummte Herr. Nein. – Ich mache dir den Vorschlag, dich mir anzuvertrauen. Ich würde fürs erste für dein Fortkommen sorgen.

Melchior. Sie sind – mein Vater?!

Der vermummte Herr. Würdest du deinen Herrn Vater nicht an der Stimme erkennen?

Melchior. Nein.

Der vermummte Herr. – Dein Herr Vater sucht Trost zur Stunde in den kräftigen Armen deiner Mutter. – Ich erschließe dir die Welt. Deine momentane Fassungslosigkeit entspringt deiner miserablen Lage. Mit einem warmen Abendessen im Leib spottest du ihrer.

Melchior *(für sich)*. Es kann nur *einer* der Teufel sein! – *(Laut.)* Nach dem, was ich verschuldet, kann mir ein warmes Abendessen meine Ruhe nicht wiedergeben!

Der vermummte Herr. Es kommt auf das Abendessen an! – So viel kann ich dir sagen, daß die Kleine vorzüglich geboren hätte. Sie war musterhaft gebaut. Sie ist lediglich den Abortivmitteln der Mutter Schmidtin erlegen. – – Ich führe dich unter Menschen. Ich gebe dir Gelegenheit, deinen Horizont in der fabelhaftesten Weise zu erweitern. Ich mache dich ausnahmslos mit allem bekannt, was die Welt Interessantes bietet.

Melchior. Wer sind Sie? Wer sind Sie? – Ich kann mich einem Menschen nicht anvertrauen, den ich nicht kenne.

Der vermummte Herr. Du lernst mich nicht kennen, ohne dich mir anzuvertrauen.

Melchior. Glauben Sie?

Der vermummte Herr. Tatsache! – Übrigens bleibt dir ja keine Wahl.

Melchior. Ich kann jeden Moment meinem Freunde hier die Hand reichen.

Der vermummte Herr. Dein Freund ist ein Scharlatan. Es lächelt keiner, der noch einen Pfennig in bar besitzt. Der erhabene Humorist ist das erbärmlichste, bedauernswerteste Geschöpf der Schöpfung!

Melchior. Sei der Humorist, was er sei; Sie sagen mir, wer Sie sind, oder ich reiche dem Humoristen die Hand!

Der vermummte Herr. – Nun?!

Moritz. Er hat recht, Melchior. Ich habe bramarbasiert. Laß dich von ihm traktieren und nütz ihn aus. Mag er noch so vermummt sein – er ist es wenigstens!

Melchior. Glauben Sie an Gott?

Der vermummte Herr. Je nach Umständen.

Melchior. Wollen Sie mir sagen, wer das Pulver erfunden hat?

Der vermummte Herr. Berthold Schwarz – alias Konstantin Anklitzen – um 1330 Franziskanermönch zu Freiburg im Breisgau.

Moritz. Was gäbe ich darum, wenn er es hätte bleiben lassen!

Der vermummte Herr. Sie würden sich eben erhängt haben!

Melchior. Wie denken Sie über Moral?

Der vermummte Herr. Kerl – bin ich dein Schulknabe?!
Melchior. Weiß ich, was Sie sind!!
Moritz. Streitet nicht! – Bitte, streitet nicht. Was kommt
5 dabei heraus! – Wozu sitzen wir, zwei Lebendige und ein Toter, nachts um zwei Uhr hier auf dem Kirchhof beisammen, wenn wir streiten wollen wie Saufbrüder! – Es soll mir ein Vergnügen sein, der Verhandlung mit beiwohnen zu dürfen. – Wenn ihr streiten wollt, nehme ich meinen
10 Kopf unter den Arm und gehe.
Melchior. Du bist immer noch derselbe Angstmeier!
Der vermummte Herr. Das Gespenst hat nicht unrecht. Man soll seine Würde nicht außer acht lassen. – Unter Moral verstehe ich das reelle Produkt zweier imaginärer
15 Größen. Die imaginären Größen sind *Sollen* und *Wollen*. Das Produkt heißt Moral und läßt sich in seiner Realität nicht leugnen.
Moritz. Hätten Sie mir das doch vorher gesagt! – Meine Moral hat mich in den Tod gejagt. Um meiner lieben
20 Eltern willen griff ich zum Mordgewehr. »Ehre Vater und Mutter, auf daß du lange lebest.« An mir hat sich die Schrift phänomenal blamiert.
Der vermummte Herr. Geben Sie sich keinen Illusionen hin, lieber Freund! Ihre lieben Eltern wären so wenig
25 daran gestorben wie Sie. Rigoros beurteilt würden sie ja lediglich aus gesundheitlichem Bedürfnis getobt und gewettert haben.
Melchior. Das mag soweit ganz richtig sein. – Ich kann Ihnen aber mit Bestimmtheit sagen, mein Herr, daß, wenn
30 ich Moritz vorhin ohne weiteres die Hand gereicht hätte, einzig und allein meine Moral die Schuld trüge.
Der vermummte Herr. Dafür bist du eben *nicht* Moritz!
Moritz. Ich glaube doch nicht, daß der Unterschied so
35 wesentlich ist – zum mindesten nicht so zwingend, daß Sie nicht auch *mir* zufällig hätten begegnen dürfen, verehrter *Unbekannter*, als ich damals, das Pistol in der Tasche, durch die Erlenpflanzungen trabte.
Der vermummte Herr. Erinnern Sie sich meiner denn

nicht? Sie standen doch wahrlich auch im letzten Augenblick noch zwischen *Tod* und *Leben.* – Übrigens ist hier meines Erachtens doch wohl nicht ganz der Ort, eine so tiefgreifende Debatte in die Länge zu ziehen.

Moritz. Gewiß, es wird kühl, meine Herren! – Man hat mir zwar meinen Sonntagsanzug angezogen, aber ich trage weder Hemd noch Unterhosen.

Melchior. Leb wohl, lieber Moritz. Wo dieser Mensch mich hinführt, weiß ich nicht. Aber er ist ein Mensch...

Moritz. Laß mich's nicht entgelten, Melchior, daß ich dich umzubringen suchte! Es war alte Anhänglichkeit. – Zeitlebens wollte ich nur klagen und jammern dürfen, wenn ich dich nun noch einmal hinausbegleiten könnte!

Der vermummte Herr. Schließlich hat jeder sein Teil – *Sie* das beruhigende Bewußtsein, *nichts* zu haben – *du* den enervierenden Zweifel an *allem.* – Leben Sie wohl.

Melchior. Leb wohl, Moritz! Nimm meinen herzlichen Dank dafür, daß du mir noch erschienen. Wie manchen frohen ungetrübten Tag wir nicht miteinander verlebt haben in den vierzehn Jahren! Ich verspreche dir, Moritz, mag nun werden was will, mag ich in den kommenden Jahren zehnmal ein anderer werden, mag es aufwärts oder abwärts mit mir gehn, *dich* werde ich nie vergessen...

Moritz. Dank, Dank, Geliebter.

Melchior. ...und wenn ich einmal ein alter Mann in grauen Haaren bin, dann stehst gerade du mir vielleicht wieder näher als alle Mitlebenden.

Moritz. Ich danke dir. – Glück auf den Weg, meine Herren! – Lassen Sie sich nicht länger aufhalten.

Der vermummte Herr. Komm, Kind! – *(Er legt seinen Arm in denjenigen Melchiors und entfernt sich mit ihm über die Gräber hin.)*

Moritz *(allein).* – Da sitze ich nun mit meinem Kopf im Arm. – – Der Mond verhüllt sein Gesicht, entschleiert sich wieder und sieht um kein Haar gescheiter aus. – – So kehre ich denn zu meinem Plätzchen zurück, richte mein Kreuz auf, das mir der Tollkopf so rücksichtslos niedergestampft, und wenn alles in Ordnung, leg ich mich wieder auf den Rücken, wärme mich an der Verwesung und lächle...

NACHWORT

Frühlings Erwachen endet bei Frank Wedekind mit Jugendstil-Symbolik: auf einem Friedhof unterm Novembermond. Auf dem Grabstein der Wendla Bergmann, die nur vierzehn Jahre alt geworden ist, steht die Lüge »gestorben an der Bleichsucht«, sie ist aber gestorben an den Folgen einer Abtreibung, die ihre Mutter aus Furcht vor der Schande arrangiert hat. Wendlas Geliebter ist der vierzehn Jahre alte Schüler Melchior Gabor, er ist aus der Korrektionsanstalt geflohen und wird an ihrem Grab angesprochen von seinem Mitschüler Moritz Stiefel, der seinen Kopf unterm Arm trägt: Moritz hat sich erschossen, weil er nicht versetzt worden ist und diese Schande seinen Eltern nicht zumuten will. Zwei Tote in *Frühlings Erwachen*: Wendla ist das Opfer einer falschen Erziehung, sie stirbt als werdende Mutter und weiß nicht einmal, auf welche Weise sie Mutter geworden ist, sie meint, ohne Heirat könne man gar kein Kind bekommen, und Moritz ist das Opfer einer falschen Erziehung, er gibt sich den Tod, bevor er noch die körperliche Liebe erlebt hat, einer seiner letzten Sätze ist: »Es hat etwas Beschämendes, Mensch gewesen zu sein, ohne das Menschlichste kennengelernt zu haben.«
Unterm Novembermond auf dem Kirchhof, zwischen zwei Toten, zwei Opfern der Furcht vor der Schande – bei diesem erstickenden Ende bleibt es nicht: es erscheint der »Vermummte Herr«, und wie der Selbstmörder Moritz Stiefel den unglücklichen Melchior zum Sterben verführen will, so will der »Vermummte Herr« den Melchior zum Leben verführen, und es gelingt ihm. Er ist das Leben selber mit all seinen abenteuerlichen Möglichkeiten, er sagt zu Melchior: »Du lernst mich nicht kennen, ohne dich mir anzuvertrauen«, und er zieht Melchior von den Gräbern fort: wenigstens für Melchior erwacht der Lebensfrühling dann doch noch, wenn auch zwischen Toten, in einer Novembernacht.
Den »Vermummten Herrn« hat Frank Wedekind bei der

Uraufführung gespielt: der Verführer zum Leben ist seine Rolle, nicht nur auf der Bühne in *Frühlings Erwachen*, auch in der Realität und in der Literatur. Und was übel ist am Leben, das will er ändern: durch *Frühlings Erwachen* eine falsche Sexualmoral. Er nennt sein Stück eine »Kindertragödie« – die Tragödie seiner vierzehnjährigen Schülerinnen und Schüler ist, daß sie von den Erwachsenen wie Kinder behandelt werden, als sie keine Kinder mehr sind. Frau Bergmann hat es nicht gewagt, ihrer Tochter Wendla zu erklären, wie Kinder entstehen, sie ist beim Storch geblieben, und so hat Wendla gemeint, sie sei krank, während sie doch schwanger war. Und Melchior Gabor, der seinem schamhaften Mitschüler Moritz Stiefel den Beischlaf und die Zeugung schriftlich erklärt hat, wird vom Lehrerkollegium für schuldig am Selbstmord seines Freundes gehalten, vom Gymnasium relegiert und von seinen Eltern in eine Korrektionsanstalt gesteckt. Wer am Ende von *Frühlings Erwachen* auf dem Kirchhof ist, tot wie Wendla und Moritz oder mit der Absicht zu sterben wie Melchior, der ist unschuldig. Frank Wedekind klagt die Moral der Eltern an: sie mordet die Kinder. Die Richter sind die Verbrecher – dies war, um es mit einem damals modernen Schlagwort Friedrich Nietzsches zu sagen, eine »Umwertung aller Werte«.

Den ersten Entwurf zu *Frühlings Erwachen* hatte Frank Wedekind in Zürich niedergeschrieben, in der Schönbühlstraße 17 (heute 20), in der Nähe des Römertores, am Zürichberg. Frank Wedekinds Witwe Tilly erzählt in ihren Lebenserinnerungen *Lulu. Die Rolle meines Lebens* (1969), daß Frank und sie durch einen Zufall 1917 in dieselbe Wohnung zogen und daß Frank damals zu einem Bekannten sagte: »Ich wohne wieder in derselben Wohnung, in der ich ›Frühlings Erwachen‹ geschrieben habe. Der Kreis hat sich geschlossen. Ich werde noch in diesem Jahr sterben.« Er starb nur wenig später, als er geahnt hatte, am 9. März 1918, in München. *Frühlings Erwachen* schrieb er 1890 in München, er war damals 26 Jahre alt, es war sein erstes Buch, er ließ es bei dem Verleger Jean Groß in Zürich auf eigene Kosten drucken. Es erschien im Spätherbst 1891 mit einem Titelblatt, das Franz Stuck nach Wedekinds Angaben gezeichnet hatte: keine tragischen Motive, sondern eine Frühlingswiese mit

Blumen, Bäumen und Schwalben – symbolische Verführung zum Leben, schon auf dem Jugendstil-Einband.
Als Wedekind an *Frühlings Erwachen* arbeitete, hatte er schon ein paar abenteuerliche Jahre hinter sich. Er war in Hannover geboren, am 24. Juli 1864, doch dieser Geburtsort war eher ein Zufall: sein Vater stammte aus einer sächsischen Beamtenfamilie, er war ein vielgereister Mann, hatte ein paar Monate vor Franks Geburt die Vereinigten Staaten verlassen, Franks Mutter war eine ehemalige Schauspielerin am Deutschen Theater in San Franzisko, und ihren in Hannover geborenen Sohn hatten sie zur Erinnerung an Amerika Benjamin Franklin genannt. Franks ein Jahr älterer Bruder hieß Armin, seine jüngeren Brüder trugen die aparten Namen William Lincoln und Donald Lenzelin; gerufen wurden sie Hammi, Willy und Doda; außerdem gab es die Schwestern Mieze und Mati. Vater Wedekind kaufte 1872 das Schloß Lenzburg im Schweizer Kanton Aargau, Frank machte 1883 im kantonalen Gymnasium Aarau sein Abitur, schrieb für die »Neue Zürcher Zeitung« und wurde 1886 Chef des Reklame- und Pressebüros der in Kemptal bei Zürich gegründeten Firma Maggi. Damals verkehrte er in Zürich mit dem sechs Jahre älteren Gerhart Hauptmann, der das Grab Georg Büchners am Zürichberg zu seinem »ständigen Wallfahrtsort« gemacht hatte und dort den Plan zu seinen *Webern* faßte. 1888 reist Frank Wedekind als Sekretär mit dem Zirkus Herzog und begleitete anschließend seinen Freund, den »Feuermaler« Rudinoff, als Mitarbeiter auf einer Tournee durch England und Südfrankreich.
Ostern 1891 beendete Frank Wedekind *Frühlings Erwachen.* Das war sechs Jahre, nachdem sich sein Lenzburger Mitschüler Moritz Dürr erschossen hatte. Dieser Moritz, das Vorbild von Wedekinds Moritz Stiefel, hatte Frank über seinen Selbstmordplan unterrichtet, und Frank hatte sofort beschlossen, darüber ein Drama zu schreiben. Moritz wollte eigentlich seinen Tod bis nach der Premiere verschieben, doch war ihm die Zeit wohl zu lang geworden. Die wichtigsten Themen, die von den Freunden Melchior und Moritz in *Frühlings Erwachen* erörtert werden, finden sich in den Briefen, die der siebzehn Jahre alte Wedekind an seinen drei Jahre älteren Schulfreund, den späteren Schriftsteller Adolph Vögt-

lin, geschrieben hat: der Egoismus als Triebfeder der Nächsten-, der Freundes- und Geschlechtsliebe und der daraus abgeleitete Atheismus, auch Bekenntnisse wie: »Ich liebe die brausende, zügellose Leidenschaft, die Tumulte des Herzens, über alles, vielleicht gerade darum, weil sie mir am meisten abgehen ...« oder: »Ich wenigstens kenne keinen Unterschied zwischen der Liebe unter gleichen und derjenigen unter verschiedenen Geschlechtern, als den, daß letzterer Liebe noch der körperliche Geschlechtstrieb zu Hilfe kommt.«
Frühlings Erwachen war Wedekinds erstes gedrucktes Buch; sein erstes Stück war das Lustspiel *Die junge Welt*, in dem er seinen Zürcher Bekannten Gerhart Hauptmann und den Naturalismus verspottete. Hauptmann hatte die unglücklichen Familienverhältnisse der Wedekinds für sein Drama *Das Friedensfest*, eine »Familienkatastrophe in 3 Akten«, rücksichtslos ausgebeutet, und Wedekind karikierte in *Die junge Welt* den fanatischen Menschen- und Alltagsbeobachter Hauptmann durch den engstirnigen Dichter Franz Ludwig Meier, der mit einem Notizbuch durch die Welt geht: »Wenn sich der Naturalismus überlebt hat, dann werden seine Vertreter ihr Brot als Geheimpolizisten finden.« Hauptmann hatte von Georg Büchner das Pathos des Mitleids gelernt – Büchner: »Es darf einem keiner zu gering, keiner zu häßlich sein« –, und Wedekind lernte von Büchner die Verknappung der Situationen, die epische Reihung von Kurzszenen und die groteske Übersteigerung der Satire.
Von den Dramatikern des Sturm und Drang, von Lenz, Grabbe und Büchner kommt Frank Wedekind, und ohne ihn sind Carl Sternheim und das expressionistische Theater, sind der junge Bert Brecht und das Gesamtwerk von Friedrich Dürrenmatt nicht zu denken. Der Wiener Gesellschaftskritiker Karl Kraus hatte am 29. Mai 1905 die erste Aufführung von Wedekinds *Büchse der Pandora* veranstaltet und in seiner Einführungsrede Wedekind gerühmt, bei dem »Weltanschauung und Theateranschauung« absolut kongruent seien: »Er ist der erste deutsche Dramatiker, der wieder dem *Gedanken* den langentbehrten Zutritt auf die Bühne verschafft hat. Alle Natürlichkeitsschrullen sind wie weggeblasen. Was über und unter den Menschen liegt, ist wichtiger, als welchen Dialekt sie sprechen. Sie halten sogar wieder – man wagt es

kaum für sich auszusprechen – Monologe. Auch wenn sie miteinander auf der Szene stehen ... Man kommt dahinter, daß es eine höhere Natürlichkeit gibt als die der kleinen Realität, mit deren Vorführung uns die deutsche Literatur durch zwei Jahrzehnte im Schweiße ihres Angesichtes dürftige Identitätsbeweise geliefert hat.« Fünfzehn Jahre später berauscht sich Bernhard Diebold, der kritische Wortführer des expressionistischen Dramas, an einem anderen Aspekt von *Frühlings Erwachen* im Stil der frühen zwanziger Jahre: »Ein wundervoller lyrischer Duft weht aus der Sprache Wendlas und der Knaben. Die bühnengewohnten Themen wurden in halblaut stammelnder Ahnung zu keuschem Geständnis, wurden ein feines Singen des wachsenden Fleisches.«
Mit dem Fleisch freilich, mochte es noch so fein singen, hatte die Zensur ihre Schwierigkeiten. Noch Diebold, 1921, hatte keine unbeschnittene Aufführung von *Frühlings Erwachen* gesehen. Wedekind war 26 Jahre alt, als er das Stück schrieb; er war 42 Jahre alt, als es endlich zum erstenmal auf die Bühne kam, in den Berliner Kammerspielen am 20. November 1906. Regisseur war Max Reinhardt. Albert Steinrück und Hedwig Wangel spielten das Ehepaar Gabor, Camilla Eibenschütz war die Wendla, Bernhard von Jacobi der Melchior, Alexander Moissi der Moritz, Gertrud Eysoldt die Ilse, das Malermodell, aus dem sich längst in Wedekinds *Liebestrank* (1892) die Zirkusreiterin Katharina, in seinem *Erdgeist* (1894) und seiner *Büchse der Pandora* (1901) die Lulu entwickelt hatte, das »wahre Tier, das wilde, schöne Tier«, dieser Preisgesang auf die reine, niemals bürgerlich zu bändigende Triebhaftigkeit und ihre Unschuld, auch hier ist ein Nietzsche-Slogan am Platze: Jenseits von Gut und Böse. Max Reinhardt hatte die Lulu (Gertrud Eysoldt in *Erdgeist* 1902 und, neu einstudiert, 1904) auf die Bühne gebracht, nun erst wagte er das fünfzehn Jahre alte Stück *Frühlings Erwachen*. Den »Vermummten Herrn« mit schwarzer Halbmaske und Zylinder spielte Frank Wedekind. Er hatte die Schauspielerin Tilly Newes geheiratet, am 11. Dezember 1906 lag sie in den schlimmsten Wehen, während er als »Vermummter Herr« den Melchior zum Leben verführte, das seiner Tochter Annapamela am folgenden Morgen um 8 Uhr geschenkt wurde.
Mit der Berliner Uraufführung war Wedekind endlich und

endgültig als seriöser Dramatiker anerkannt. Ihm war es schon allzu seriös, er klagte: »Bis zur Aufführung durch Reinhardt galt das Stück als reine Pornographie. Jetzt hat man sich dazu aufgerafft, es als trockenste Schulmeisterei anzuerkennen. Humor will noch immer niemand darin sehen.« In einem Brief an seinen Schauspiellehrer Fritz Basil, der später den »Vermummten Herrn« in München spielte, schilderte Wedekind, der »Berliner Vermummte Herr«, wie er sich *Frühlings Erwachen* wünschte: »Ich wurde hier in Berlin erst zur 10. Probe zugelassen und fand da eine leibhaftige wirkliche Tragödie mit den höchsten dramatischen Tönen vor, in der der Humor gänzlich fehlte. Ich tat dann mein möglichstes, um den Humor zur Geltung zu bringen, ganz besonders in der Figur der Wendla, in allen Szenen mit ihrer Mutter, auch in der letzten, das Intellektuelle, das Spielerische zu heben und das Leidenschaftliche zu dämpfen, auch in der Schlußszene auf dem Kirchhof. Ich glaube, daß das Stück um so ergreifender wirkt, je harmloser, je sonniger, je lachender es gespielt wird.«
Nach der Berliner Uraufführung schrieb der Kritiker Julius Bab: »Hart steht, Szene auf Szene, die Welt der blödsinnig gewordenen, verwesunggrinsenden, mörderischen Konvention wider das keimstarke, erlösungschreiende junge Leben. Und unter den Jungen nun das kampfvolle Widereinander, das dämonische Aufeinanderzu der Geschlechter, und unter den Knaben wiederum in tief erhellendem Wechsellicht der sentimentale Schwärmer, der zugrunde geht, und der energische Realist, der überwindet. All dies stürmt, gleich einer Kette von Schlachten vorüber in Dialogen von wilder Ergriffenheit – Dialoge, die oft genug unbekümmert um alle Naturtreue von Hauptsache zu Hauptsache hinüberschnellen und so das Wesentliche in epigrammatischer Wucht mit wütender Deutlichkeit emporschleudern. Eine selige Maßlosigkeit, eine wild verschwendende Unreife steckt in diesem Stück.« Der Kritiker Alfred Kerr, der nicht so leicht rühmte, hier rühmte er: »Wundervoll, wie in die Mannesregungen dieser Buben das Geistige verflochten ist; Fragen, die kein Achtziger mit besserer Klugheit stellen kann ... Die Selbstmordnähe des Geschlechtsanbruchs dämmert auf ... Da unten sind Hamletinos und Faustulusse. Ringer, die dem Leben er-

liegen, noch vor dem Leben. Ein Genius hielt sie fest.« Der Kritiker Siegfried Jacobsohn resümierte: »Es gibt gar keine Technik, die der Darstellung jener Zeit des Vibrierens und Träumens, des Aufschreckens und Erzitterns, des Knospens und Aufspringens besser taugte als diese. Ein allgemeingültiges tragisches Weltbild hat seinen spezifischen dramatischen Ausdruck gefunden. Das ist die Größe von ›Frühlings Erwachen‹.«

Max Reinhardt ließ von nun an Wedekind seine Stücke mit dem Ensemble des Deutschen Theaters selbst inszenieren, es gab Berliner Gastspiele mit Frank und Tilly Wedekind, es gab ganze Zyklen von Wedekind-Aufführungen am Deutschen Theater in den Jahren 1911, 1914 und 1916. Nach der Berliner Uraufführung trat *Frühlings Erwachen* einen Siegeszug durch ganz Deutschland an. Es wurde 1929 vom Aufklärungsfilm-Spezialisten Richard Oswald zu einem Stummfilm verarbeitet, es wurde noch zu Lebzeiten Wedekinds in Japan und 1923 in New York gespielt, dort unter dem Vorsitz der Medizinischen Gesellschaft, um der Zensur zu entgehen, doch die Polizei ließ schließlich das Theatergebäude unter dem Vorwand räumen, es sei feuergefährlich, und dies war, in übertragenem Sinne, gar nicht so unrichtig.

Ein so liberaler Kritiker wie Siegfried Jacobsohn lobte 1906 die Zensur, weil sie »drei Szenen herausstrich, die sonst hoffentlich Reinhardt selber gestrichen hätte«; er warf Wedekind vor, er zeige, »wie schon in den Kindern auch die Abarten der Geschlechtsliebe keimen und wuchern: Sadismus und Masochismus; Masturbation; Päderastie«. Wenn Wendla von Melchior geschlagen werden will, wenn gerade dieses unaufgeklärte Mädchen in naiver Begierde nach dem Stock verlangt; wenn sich Hänschen Rilow angesichts klassischer Aktgemälde sexuelle Erleichterung eigenhändig verschafft; wenn in der Korrektionsanstalt um die Wette masturbiert wird; wenn sich zwei vierzehnjährige Schüler auf den Mund küssen, so sind dies noch 1906 für den aufgeklärten Kritiker Siegfried Jacobsohn »Abarten der Geschlechtsliebe«, denen allenfalls Erwachsene verfallen können. Wedekind aber wußte, daß solche Praktiken gerade zum Erscheinungsbild der Pubertät gehören und keineswegs »abartig« sind, was auch immer man darunter verstehen mag. Auf die Bühne aber kamen diese Szenen erst in den sechziger Jahren, in Köln, München und Bremen. Noch 1965 hatte das Londoner Royal Court Theatre am Sloane Square, das Theater der Avantgarde, Ärger, als es Wedekinds *Spring Awakening* zum erstenmal in England in einer öffentlichen Vorstellung zeigte: der zensurierende Lord Chamberlain verlangte Striche, die Masturbationsszene in der Korrektionsanstalt entfiel.

Peter Zadek schreckte bei seiner Einstudierung 1965 in Bremen vor nichts zurück, er bewies, daß *Frühlings Erwachen*, mag das Stück auch als Botschaft des Lebensreformers Wedekind überholt sein, eine geschlossene dramatische Welt enthält, die in sich richtig ist und aus sich selbst leben kann, wenn sie auch außerhalb des Theaters vergangen ist. Bei Zadek trägt der tote Moritz auf dem Friedhof seinen Kopf lässig unterm Arm wie einen Fußball; er begrüßt seinen Freund Melchior so vergnügt, als sähen sie sich zum erstenmal wieder nach den Ferien. Der »Vermummte Herr« nimmt Melchior aus der Todesversuchung ins Leben, indem er ihn mit der Spitze seines Stocks freundschaftlich vom Kirchhof schubst, und Moritz spricht die Schlußworte, während er auf seinem Kopf sitzt wie auf einem Hocker – dieser absolute Verzicht auf Gespensterei, auf das Pathos des Todes und des Lebens und auf das Pathos der Lebenslehre Wedekinds schafft durch die Einfachheit und Komik eines sozusagen selbstverständlichen Vorgangs eine große und klare, eine humoristische Wirkung. Mit seinem Stock schubst der »Vermummte Herr« vom Friedhof des symbolträchtigen Jugendstils auch Wedekind, dessen *Frühlings Erwachen* 1950 in München und 1961 in Berlin beerdigt schien.

Georg Hensel

Zum literarischen Jugendstil

IN RECLAMS UNIVERSAL-BIBLIOTHEK

Lyrik des Jugendstils. Hrsg. von Jost Hermand. 8928

Einakter und kleine Dramen des Jugendstils. Hrsg. von Michael Winkler. 9720 [3]

Prosa des Jugendstils. Hrsg. von Jürg Mathes. 50 Abb. 7820 [5]

Theorie des literarischen Jugendstils. Hrsg. von Jürg Mathes. 14 Abb. 8036 [3]

Die Berliner Moderne. Hrsg. von Jürgen Schutte und Peter Sprengel. 60 Abb. 8359 [8]

Die Wiener Moderne. Literatur, Kunst und Musik zwischen 1890 und 1910. Hrsg. von Gotthart Wunberg unter Mitarbeit von Johannes J. Braakenburg. 25 Abb. 7742 [9]

Die deutsche Literatur. Ein Abriß in Text und Darstellung. Band 13: Impressionismus, Symbolismus und Jugendstil. Hrsg. von Ulrich Karthaus. 9649 [4]

Einzeltexte von Peter Altenberg, Richard Beer-Hofmann, Max Dauthendey, Stefan George, Peter Hille, Hugo von Hofmannsthal, Heinrich Mann, Thomas Mann, Arthur Schnitzler, Robert Walser

Geschichte der deutschen Literatur. Band 5: Vom Jugendstil zum Expressionismus. Von Herbert Lehnert. 80 Abb. 1100 Seiten. Leinen

---

Philipp Reclam jun. Stuttgart

Naturalismus

Einakter des Naturalismus

Hrsg. von Wolfgang Rothe. Universal-Bibliothek Nr. 9468 [3]

Autoren: P. Ernst, O. E. Hartleben, G. Hirschfeld, A. L. Kielland, R. M. Rilke, A. Schnitzler, C. Viebig, W. Weigand

Lyrik des Naturalismus

Hrsg. von Jürgen Schutte. Universal-Bibliothek Nr. 7807 [4]

Autoren: Fr. Adler, W. Arent, K. Bleibtreu, H. Conradi, R. Dehmel, A. v. Hanstein, H. Hart, J. Hart, O. E. Hartleben, G. Hauptmann, K. Henckell, A. Holz, O. Jerschke, O. Kamp, J. H. Mackay, M. R. v. Stern, B. Wille

Prosa des Naturalismus

Hrsg. von Gerhard Schulz. Universal-Bibliothek Nr. 9471 [4]

Autoren: H. Bahr, O. J. Bierbaum, H. Conradi, P. Ernst, O. E. Hartleben, G. Hauptmann, P. Hille, A. Holz, M. Kretzer, Ph. Langmann, D. v. Liliencron, J. H. Mackay, O. Panizza, W. v. Polenz, S. Przybyszewski, J. Schlaf, A. Schnitzler, F. Wedekind

Theorie des Naturalismus

Hrsg. von Theo Meyer. Universal-Bibliothek Nr. 9475 [4]

Autoren: C. Alberti, H. v. Basedow, L. Berg, K. Bleibtreu, W. Bölsche, E. Brausewetter, M. G. Conrad, H. Conradi, E. G. Christaller, Ch. v. Ehrenfels, M. Flürscheim, W. H. Friedrichs, R. Goette, E. Haeckel, M. Halbe, H. Hart, J. Hart, G. Hauptmann, K. Henckell, J. Hillebrand, A. Holz, L. Jacobowski, F. v. Kapff-Essenther, W. Kirchbach, E. Koppel, H. Merian, M. Nordau, E. Reich, J. Röhr, J. Schlaf, B. v. Suttner, I. v. Troll-Borostýani, O. Welten, E. Wolff, E. Zola

Philipp Reclam jun. Stuttgart